人気スピーチライターが教える

モヤモヤを言葉に変える

「言語化」講座

ひきたよしあき

PHP研究所

はじめに

子どもの頃、5歳上の兄とよくキャッチボールをしていました。少し離れたところから無言でただボールを投げ合う。それでも、その1球1球に、

「今度は、強い球いくぞ」
「フライ気味のボールだぞ」
「低めだ。腰落としてとれよ」

という兄の思いがこもっていました。言葉は交わしていないのに、思いが伝わってきました。

私は、人との会話について考えるとき、このキャッチボールを思い出します。

兄は、ボールを投げることよりも、私がボールを受け取ることを考えて投げてくれ

ていた。私は、会話もこれと同じだと思っています。

投げるのではなく、相手に受け取ってもらう。

話すのではなく、相手に聞いてもらう。

好き勝手にボールを投げてもキャッチボールにはならないように、自分勝手につぶやいたり、話したり、叫んだりしても会話は成立しません。

この本では、誰とでも心の通い合う会話のキャッチボールができるように、「言語化」という分野に力点をおいて語ります。

「言語化」とは、雑念のように脳みそに浮かんでいるイメージ、考え、思い、アイデア、感情を的確な言葉に変えて口に出すこと。そして、その言葉が相手に正確に「伝わる」ことを言います。「伝える」だけでなく「伝わる」ことが大切。意思の疎通がスムーズにできるようになって初めて言語化力が向上したと言えるのです。

しかし、相手のことを考えて言語化するのはすぐには難しいでしょう。それ以前に、どうやって自分の考えをまとめ、言葉にするかすらわからない。だから、見たもの聞いたものに対して、「ヤバい」とか「ウザい」とか、形容詞で受動的に反応することしかできない人が多いのではないでしょうか。

大丈夫、心配いりません。簡単なことから始めていけば、必ずあなたの言語化力は向上します。誰とでも心地よく「会話のキャッチボール」ができるようになります。

私は、37年間、博報堂で広告制作の仕事をしたあと、現在は、大阪芸術大学や明治大学で、「言葉の力を強くする」ための講義をしています。その他、企業、行政、全国の小中学校でも教えています。自衛隊、日本サッカー協会（ＪＦＡ）、変わったところでは浄土真宗西本願寺派の僧侶の方々にも、言葉の伝え方を伝授しています。

様々な分野から依頼があるのは、それだけ今の世の中は、会話のキャッチボールがやりにくくなっているからでしょう。世代、価値観、知識の差が激しく複雑で、自分だけで考えた「言語化」は暴投やビーンボール（危険球）になってしまうのです。あなただけではありません。多くの日本人が、コミュニケーションに悩みを抱えているのです。

かく言う私も、言語化力が低いことにずっとコンプレックスをもっていました。博報堂という会社は、トッププレゼンターが多数いる会社です。思わず膝を打つようなスピーチ、じーんと心に迫る話。それらを語る人たちで溢れていたのです。彼らに比べると私は気が弱く、すぐに空気に呑まれました。怖そうな人にビビり、感情に流されて舌禍事件を起こすこともありました。

本書では、そんな自分の黒歴史を踏まえ、それらをどうやって克服してきたかをご紹介していきます。

本書は、私が大学やセミナーで行っている講義形式で進めます。

テーマは大きく3つに分かれます。

第1章　言語化力の基本の「き」――「思い」を「言葉」にする基礎力強化

頭の中にあるイメージが言葉にならない理由を分析しながら、どうすれば的確な言葉を思いつくようになるのか。語彙を増やすためには何をするのが効果的かなど、具体的な実践方法を学びます。

このシフォンケーキ、
ヤバい!

第2章　相手に伝わる「言語化力」――「話す」ではなく「聞いてもらう」

「言語化力」は、相手に「聞いてもらう」ことで威力を発揮します。自分と気の合う仲間だけでなく、知らない人、苦手な人とも意思の疎通がスムーズになる力をつけていきます。

第3章　言語化力とは表現力——相手が身を乗り出して聞きたくなるコツ

理解することだけに留まらず、相手が身を乗り出して聞きたくなる、そんな表現力をつけて、より魅力的な言語化をめざしましょう。あなたの言葉に、じーんとくる人が増えていく。そんなメソッドが満載です。

はじめに

ここ数年、仕事のスタイルが変わり、リアルとリモートを組み合わせて働く機会が増えました。それにつれ、じかに話す機会が減り、社内チャットやＬＩＮＥなどでやりとりをするようになりました。一見便利なように思えます。しかし、人と人が対面して話す機会が減少した結果、異なる世代や価値観の人が言葉を交わし、意思の疎通を図りながら何かを成し遂げることがすっかり苦手になってしまいました。

コミュニケーションのすべてがバーチャルで行われることなどあり得ません。最後は、意思の疎通を円滑に行える言語化力の高い人が、ビジネスを成功させ、よりよい人間関係を築き、豊かな人生を送れるのだと確信しています。

さぁ、それでは「言語化力」を学び始めましょう。

意思の疎通のキャッチボールをプレイしましょう。

◎本書を読んでいただきたい人

・頭の中ではいろいろ考えているのに、言葉にすると「ヤバい」しか出てこない。

・語彙が少ないせいか、考えていることと話していることが一致せず、途中で話すことが面倒になってしまう。

- いきなり意見を求められても、頭に何一つ浮かばず、ただ黙って時の過ぎるのを待つばかりになってしまう。
- 完璧に伝えたいと思うばかりに、あれもこれも言いたくなってしまい、肝心なことが伝わらない。
- 正直なところ、話すよりもチャットやメールの方が得意。それさえできれば嫌いな人といちいち話さなくてもいいと思っている。
- わかりやすく伝えようとするのだけれど、専門用語やカタカナ言葉を使ってしまい、相手と意思の疎通が図れない。
- 「ガンガン行こう」「バシッと決めよう」などとオノマトペが多すぎて、他人に軽薄な人だと思われてしまう。

・多くを語るのは、格好が悪い。以心伝心、阿吽（あうん）の呼吸で伝える方がかっこいいと思っている。

これらは、いずれも「言語化力」に問題があります。意思の疎通のキャッチボールができる力を身につけましょう。

ひきたよしあき

Contents

◎モヤモヤを言葉に変える「言語化」講座――目次

第2章

相手に伝わる「言語化力」
―「話す」ではなく「聞いてもらう」

Contents

第3章

言語化力とは表現力
——相手が身を乗り出して聞きたくなるコツ

Contents

第1章

言語化力の基本の「き」

――「思い」を「言葉」にする基礎力強化

なぜ「思い」が「言葉」にならないのか

みなさん、こんにちは。ひきたよしあきです。『モヤモヤを言葉に変える「言語化」講座』にようこそおいでくださいました。

今日から1カ月間、言葉の力を強くして、あなたのビジネスや毎日の生活を円滑に、豊かにしていく講義をします。中でも今回は、「言語化力」を中心に語り、みなさんに「思い」を「言葉」にする力を身につけていただきます。

さて、まずは「言語化力とは何か」から語っていきます。

「言語化力」を少し分析してみましょう。「言語化力」──「言語」とは、平たく言えば「言葉」のことです。「化」は、「変わる」「別のものにする」という意味。そして「力」という字がついています。つまり、

何かを「言葉」に変える力を「言語化力」と言います。

その「何か」とは、一体なんでしょう。わかりますか？

これは、あなたの頭の中にあるイメージ、思い、考え、感情などのことです。それを言葉に変えること。例えば、私は今、細長い六角形の筆記具をもっています。これを「鉛筆」と口に出したとき、「言語化」された、と言うわけですね。あなたのお腹がグーグーなっている。食べることばかりが頭に浮かぶ。これを「お腹がすいている」と言うことで「言語化」されるわけです。

◉江戸時代の人の1年分の情報を1日で受け取っている現代人

「なんだ、簡単じゃないか」

とあなたは思うかもしれません。しかし、そんな単純なものではないのです。

例えば、今日はいつもより早く帰らなければならない用事がある。これを上司に言いにいく必要があるとします。見ると、上司はすこぶる機嫌が悪い。月末で、周囲の人も目を三角にして働いている。こんなとき、「早退したい」という「思い」をどのような言葉で表現したら納得してもらえるだろうか。こう考えると、「言語化」の難しさがわかりますね。

人は、1日に6万回もあれこれ考えるそうです。そして3万5000回も決断している。へとへとですね。

その上、今の日本人は、平安時代の人の一生分、江戸時代の人の1年分の情報を1日で受け取っていると、思考の整理家である鈴木進介先生は述べています。それに加えて、職場の空気を読み、上司の顔色をうかがい、自分の限られた語彙の中から最も的確な言葉を選び出すのですから、簡単ではないはずです。

脳内にこれだけ情報が入り込んでいる中で、的確な言葉を選び出す。――平安時代の人の一生分の情報に対する決断を、1日でやっていると考えたら、「言語化」がいかに大変かおわかりでしょう。そして、多少の差はあれど、誰もが「思い」を「言葉」にできずに悩むのもわかっていただけるはずです。あなただけではない。この情報化社会に生きている誰もが「言語化」に悩んでいるといっても過言ではない。悩んでいないとしたら、それはただ鈍感なだけかもしれません。

◎指先会話のおかげでますます無口に

「言語化力」のレベルが落ちた原因は、こればかりではありません。

あなたは最近、電話をかけていますか？

かけていないと思います。LINEかチャットがほとんどではないでしょうか。

私が教えている大学の学生は、同じ教室にいる友人とLINEを通じて話しています。口で話すより、絵文字やスタンプがあるからラクだという。指先でスマホをいじって会話しているわけですね。

スマホに書き込むことも「言語化」のひとつでしょう。しかし、じかに会って話すときの「言語化」とは負荷がずいぶん違います。相手の息遣いや顔色をうかがいながら、自分の「思い」を「言葉」にすることを思えば、指先での会話は明らかにラクです。

ビジネスのリモート化が進み、人と直接会うことが減った。これが「言語化力」を退化させている原因のひとつと私はとらえています。

なぜなら、「言語化力」とは、相手に思いが伝わることが大事だからです。言葉は、相手に伝わり、理解されてこそ初めて意味をもつのです。

◎「話す」というよりも「聞いてもらう」

そのために自分の言葉を相手に合わせて選ぶ必要があるのです。

常に相手を思う気持ちがあってこそ、脳内にある言葉の中からどの言葉で話そうかと、的確に言葉を選ぶことができるわけです。

初回から「言語化力」を身につけるのは難しいという話をしてしまいました。申し訳ないです。私が言いたかったのは、「言語化」ができずに悩んでいるのはあなただけではないということです。この情報化社会にあっては、どんなに弁が立つように見える人でも「言語化力」にコンプレックスをもっているはず。

だからこそ、この講座でいち早く「言語化力」を身につけてください。

次回から、具体的な方法について語っていきます。本日は、以上です。

「言語化力」とは
相手に「思い」が伝わること

緊張せずに「思い」を伝える方法

みなさん、こんにちは。2日目の講義を始めます。

3年ほど前のことです。私は、教鞭をとっている明治大学の学生数人とキャンパス近くのカフェで話をしていました。そのとき、ある学生が、こう言いました。

「ひきた先生は、話し方の本なんて絶対に書けない。話上手な人は、話ができずに苦労している人の気持ちなどわかるはずがないから」

文学部の子で、物静かな女性でした。何か話そうとすると20秒くらい間のあく子でした。彼女に言われて、私はふと思ったのです。

今でこそこうしてみなさんの前で、「言語化力」などを偉そうに語っていますが、20年前に大学で教え始めた頃は、本当にひどいものだったのです。

忘れもしません。ご縁があって慶應義塾大学で講演する機会がありました。200人くらいの前で話すことになっていたのですが、「聴衆が学生だから緊張もしないだろう」と高を括っていたのです。ところが教室に入って学生たちの姿を見たら、突然、緊張しました。真剣なまなざしで、前のめりの姿勢になっている学生たち。背中を汗が流れました。バクバクと鼓動が聞こえてきました。「まずいな」と思った瞬間、頭の中が真っ白になったのです。

こうした経験のある方もいることでしょう。物理的に脳みそから「言葉」が一切消えてしまった感じです。多分、自分の名前すら口に出すことができないくらい思考が完全に停止。焦るうちに過呼吸が始まって、息を吐くことができなくなりました。

苦しくなった私は、ジャケットを脱ぎ、ネクタイを外し、ワイシャツの第2ボタンまで外していました。あとで聞くと学生は「全部脱ぐんじゃないか」と心配になったそうです。

何かの拍子に緊張すると頭の中が真っ白になる。

その後私は、何度も同じようなことを経験しました。「また、過呼吸になるんじゃないか……」と心配すると、余計にその確率が上がりました。そのせいで、博報堂に勤めていた頃は、トップバッターでプレゼンテーションをすることができず、常に場がなごんだ二番手、三番手でしか話すことができなかったのです。

◉真っ白な頭の中に言葉を取り戻す方法

一時は病気かとも思いました。大きな仕事のプレゼンターになることから逃げていた私を見て、あるとき上司がこう言ったのです。

「完璧主義をやめろ。100%自分の思いが伝わるなんて、考えるな。これさえ伝わればいいというものだけが伝われば、それでプレゼンは成功なんだ」

ハッとしました。私は、完璧主義というよりも、人前で話すたびに「あそこがうまく言えなかった」「あれを言い忘れた」とネガティブチェックばかりしていたのです。そのせいで肩に力が入り、緊張していたのでした。

「これさえ伝わればいい」

つまりこれは、必要最小限の言語化ができればそれで構わないということです。

例えば、企画案が3案あったとします。こちらが先方に推したいのはB案です。私はそれまでは、A案もC案も、もちろんB案も完璧に相手が理解できるように話していたんですね。

しかし、大事なのはB案です。この良さを相手に伝えることが一番です。完璧主義をやめて、「これさえ伝わればいい」と考えられるようになったとき、不思議と頭の中が真っ白になることも減りました。減点主義ではなく、「大切なことは伝わったし、おまけにあれもうまく説明できた」と加点主義で自分の話を考えられるようになったのです。

◎アロマの力で、平静を保つ

最後に、会議やプレゼンの最中に、頭の中が真っ白になるのを防ぐ方法をお教えしておきます。

それは「香りの力」を借りること。

パニックになったとき、自分が好きな香りをかぐと、不思議と平静に戻ります。ま

あ、人によるとは思うのですが……。

私は、「オレンジ」のアロマを親指と人差し指の間にある合谷（ごうこく）のツボに垂らして講義に臨んでいます。緊張したり、問い詰められてパニックになりそうなときは、さりげなく手を鼻にあてて、オレンジの香りで平静を保つようにしています。

完璧主義をやめて、好きな香りをかぐ。これが講義2日目の結論です。

SUMMARY 2

頭の中が真っ白になるのを防ぐには、「これさえ伝わればいい」というものを明確にする。完璧主義を捨てよう

正確な名称で話す

～語彙を増やす①

みなさん、こんにちは。３日目の講義を始めます。

「三日、三カ月、三年」という法則があります。何かに飽きたり、不満を感じたり、辞めたくなる時期を示しています。「三日坊主」とはよく言ったものですね。これは決して悪いことではありません。三日とは、72時間。人命救助におけるタイムリミットと同じです。人間は、ひとつのことをずっと続けていれば、「このままでいいのかな」と考える動物なのです。

三日だけでなく、三カ月、三年も同じこと。「このままでいいのか」と感じる大切な時期です。会社に勤めて三年を過ぎた頃、なんだかつまらなくなって、辞めたくなった。他のことをしたくなった。これは人がよりよく生きるための本能なのです。こ

の講義に合わせて言えば、人のタイムリミットを言語化したものが「三日、三カ月、三年」となるわけです。

今日の講義が終わる頃、「この講義を聞き続けていいのかな?」と思う方が出てくるはず。次回、ガクンと出席率が落ちないように、がんばります。

◉モノの解像度を高くする

さて、「言語化力」の話を進めます。今日は、語彙を増やす方法について語ります。「言語化力」とは、「思い」を「言葉」にすること。とすれば、たくさんの「言葉＝語彙」を知っている方が、「思い」が正確に伝わることは明らかです。

例えば、

この教室まで歩いてくる際、花のいい香りがしていました。

と聞いて、みなさんはどんな花を思い浮かべるでしょう。バラですか、ユリですか、

胡蝶蘭（こちょうらん）ですか。「花」と言われただけではわかりませんね。では、

この教室まで歩いてくる際、キンモクセイの香りがしました。

に変えたらどうでしょうか。キンモクセイは、10月頃に咲く花で、甘い香りを放ちます。みなさんもこの香りをかぐと、天気のよい秋の日を思い浮かべるのではないでしょうか。

この例を見ても、「花」を具体的な「キンモクセイ」に変えただけで伝わり方が変わるのがおわかりでしょう。

若い頃の私は、作家の村上春樹さんに傾倒していました。彼の文章の特徴は、正確な「モノ表現」にありました。普通なら「サンドイッチ」と簡単に書いてしまうところを「マヨネーズが手作りのキュウリとレタスとハムのサンドイッチ」と書くわけです。新鮮なキュウリやレタスをかじる音が聞こえてきそうですよね。そう、**モノの名**

称を正確に書くだけで「語彙力」が増すのです。

◉モノの名称を正確に言う癖をつける

私は村上春樹さんが好きで、ずいぶんと影響を受けました。「ジャズが流れていた」ではなく、「ビル・エヴァンスの『ワルツ・フォー・デビイ』がかかっていた」と書く。「お味噌汁」ではなく、「ワカメとえのきの味噌汁」と書く。こうしてモノの名称を正確に言う練習が「語彙力」を増やすのに大変役立ちました。

やり方は簡単です。モノの名称を正確に書いてみましょう。

新幹線に乗るときにペットボトルのお茶を買った。そのお茶が「静岡茶」なら、それを書く。とたんに、乗っている新幹線が東海道新幹線だとわかります。今、あなたが着ている服。それを「ラフな服装」なんて簡単にまとめずに、「ベージュのチノパンツに白のスニーカー、GUの少しオーバーサイズのパーカー」とモノの名称を言ってみる。「あれ、このスカートの形はなんて言えばいいんだろう」「あのヘアスタイルをどう表現するのかな」といちいち気にするようになると、頭がいつも正確な名称や言い方を求めるようになります。これが語彙力を増やす第一歩です。

どこでもいつでも練習してください。公園を散歩しているとき、木の名称、花の名称、遊具の名称をしっかり口に出す。「あれをチンして！」と言うのではなく「レトルトカレーを電子レンジで温めて」と正確に言うようにする。こうすることで、脳みその中で埃(ほこり)をかぶっていたいろいろな名称が浮かんでくるようになります。

「あれ、これ、それ」という指示代名詞を使ったり、相手の名前を思い出せないのは、歳をとった方だけの現象ではありません。１日目の講義で言ったように、江戸時代の人の１年分の情報を一日で処理している私たちは、いちいちモノの名称など思い出したくない。「あれ」で済むものは、「あれ」で済まそうと脳みそはラクしようとするんですね。

人の名前を思い出せず、「あれ、これ、それ」と指示代名詞ばかりで会話し、「花」「服」「飲み物」などと大雑把（おおざっぱ）な名称でしか語らなければ、「言語化力向上」はかなり難しいのではないでしょうか。「モノの名称を正確に言う」、これに気をつけるだけで、あなたの語彙力に変化が表れます。老化防止にもなりますよ。

SUMMARY 3

「あれ、これ、それ」と言うことをやめる

読書を「読む」から「使う」へ
～語彙を増やす②

みなさん、こんにちは。魔の「三日、三カ月、三年」の法則をくぐりぬけ、４日目の講義に集まってくれたみなさん、ありがとうございます。

実は私もとても飽きっぽくて、なんでもすぐに放り投げてしまいます。それでも、本を20冊近く書いている。大学で８年も教えている。飽きっぽいのに、なぜ続くのかといえば、「飽きっぽいのを有効活用」しているからです。例えば、日記。三日坊主で終わる人も多いでしょう。完璧主義者はここでやめてしまいます。でも私は、１週間空いても、ひと月書かなくても、気が向いたら平気で書き出します。人間は、飽きる動物です。愚(おろ)かなものなんです。だから、それがわかった上で、また始めればいいいだけのことなんです。

さて、今日は「語彙力」と「読書」の関係についてお話ししましょう。読書は語彙力向上に役立つか、という話です。

結論から言いましょう。ただ読むだけでは、特に役立つものではありません。なぜでしょう。

思い出してください。小学生の頃に教科書を読んで、新しい漢字が出てくるとどうやって覚えましたか?

例えば「分析」という漢字が出てきたら、何十回か書いて覚えませんでしたか?「分析」を間違いなく書けるようになる。しかし、それと「分析」の用法が身につくこととは違います。漢字が書けるようになったとしても、それを自分が必要なときに効果的に使うことができなければ、自分のものになったとは言えません。つまり自分の中で「語彙力」のストックになっていないのです。

読書も同じです。新しい単語に出合えたとしても、自分の血となり肉となって使えなければ、宝の持ち腐れになるばかりです。

◎学んだ言葉をすぐに使ってこそ自分のものとなる

「語彙力」を高めるためには、本で出合った新しい「言葉」をすぐに使ってみることです。例えば、あなたが本を読んでいたら「焦燥感」という言葉に出合った。学生時代なら、意味を調べたあと、この字が書けるようにノートに何度も書いて覚えたと思います。

それではダメなんです。字が書けただけで、その語彙が自分のものになったなんて思ったら、大間違い。実際にこの言葉を日常で使ってみなければ身につきません。

「次の会議の資料がなかなかできなくて、焦燥感でいっぱいです」

など、実際に使ってみる。何度も使っているうちに、その言葉が頭脳に馴染んで「使える語彙」として定着するのです。

こうした新しい言葉に出合うという意味では、読書は語彙習得の王道です。しかし、読めばいいというものではない。意味がわかって、書けるようになっても、その言葉を使えるようにならなければ語彙は増えていかないのです。

◉好きな作家の語彙を真似る

それでは、読書で効果的に語彙を増やす方法を教えましょう。

先ほど、語彙を身につけるには、実際にそれを使ってみようと言いました。さて、それではどうすれば使ってみたくなるのでしょう。

そのためには、好きな作家や作品を見つけることです。

私は、太宰治という作家に心酔していた時期があります。今の言葉で言えば「推し」です。心中未遂は起こすし、金にも女にもだらしない人でしたが、こういう人に限って「厳粛」という言葉をよく使うのです。「君とは、厳粛につきあってきた」のような使い方をするのです。私も太宰同様、あまっちょろい人間だったので、「厳粛」という言葉を真似してよく使いました。

「先日のお叱り、厳粛に受け止めた上で、本日、再提案させていただきます」

こんな感じで、太宰の「厳粛」が私の語彙として定着しています。
どんな作家でも構いません。マンガでもいいし、歌詞でもいい。
「これはいい！」と思う言葉があったら、徹底的に使う。使い倒して自分の言葉にしてください。

ここ最近は、再読した『ＳＬＡＭ ＤＵＮＫ（スラムダンク）』（井上雄彦、集英社）

の中にあった、
「あきらめたら、そこで試合終了ですよ」

という言葉にハマっています。

「今、寝たら、そこで試合終了ですよ」
「今、言わないと、そこで試合終了ですよ」
こんなふうに使い倒すことで、語彙が言語化力の武器になっていくのです。

SUMMARY 4

本を読むだけでは語彙力は身につかない。出てきた言葉を日常的に使うことで自分の頭脳に定着させる

「ヤバい!」を鍛える
～語彙を増やす③

みなさん、こんにちは。それでは「言語化力」の講義を始めます。
今日は5日目ですね。

「言葉＝語彙」について語るとき、私は「パレットの上に出された絵の具を想像してください」とよく言います。赤、白、黄、青といろいろな色がある。この色の中だと、空を描くときは青色を使いますよね。しかし、そこに水色があったら、群青色があったら、あなたの空は、より深みが増してきます。そ

こに、白、紫、だいだい色、さらには色と色を混ぜて使えば、実際の景色とあなたの心情にぴったりの空が描けますよね。

この絵の具の種類が、語彙の豊富さです。様々な色、言葉をもっていれば、あなたの気持ちは、より正確に、感動をもって人に伝えることができるわけです。

◉「ヤバい」は、怠け者の脳をつくってしまう

しかし、実に残念なことに、今は絵の具の色数がどんどん減っている。これはあなただけではありません。日本人全体が、「言葉の色数」が少なくなっているのです。

好例として「ヤバい」があります。

危険だ、悪い、不都合だ、大変だ、まずい、ダサい、すごい、素晴らしいといった感情をすべて「ヤバい」の一言で済ませている。あなたもそのひとりではないですか。

確かに、仲間同士では「ヤバい」の一言で通じるでしょう。「ヤバい」で通じる人が、あなたを本当に理解してくれる友人なのかもしれません。

しかし、世の中はあなたの発した「ヤバい」が通じるほど甘いものではありません。大抵の人は、「ヤバい」としか言わないあなたを「語彙が貧困すぎて、コミュニケーションの取りようがない」と考えてしまうのです。

まずは「ヤバい」「ウザい」「ダルい」といった多くの感情やニュアンスを含む言葉を禁止する。「ヤバい」の一言で片づけていると、怠け者の脳は、「今回も、ヤバい！って言っておけばいいよ」と考えることを拒否します。何かにつけて「ヤバい」と言っているのは、「私の脳は働いていません」と宣言しているようなものです。

◎**「ヤバい！」**＋**「なぜなら……」**

それではどうすればいいか。

私は「ヤバい」という言葉を忌(い)み嫌っているわけでありません。良きにつけ悪しき

につけ、心が動かされたときに叫ぶ言葉が「ヤバい!」だと思っています。だから、「ヤバい」をうまく利用して語彙を増やしていきましょう。

方法は、簡単です。

「ヤバい!」と叫んだあとに、すぐ「なぜなら」と続ける。

カフェで食べたシフォンケーキが、おいしかった。そこであなたは「ヤバい!」と叫んだ。さぁ、そのすぐあとに「なぜなら」と言ってみましょう。

このシフォンケーキ、ヤバい! なぜなら、

・フワフワだから
・口に入れたら溶けてなくなるから
・きめ細かいから

といろいろな「ヤバい」の理由が思いつきます。え？　そんなに思いつかないって？　大丈夫です。何を言っても構わない。「フワフワ」でも「あまあま」でも構いません。とにかく「ヤバい」わけを自分で解説するように心がけてみましょう。

これは「ヤバい！」という感情に「なぜなら」という論理をつける方法です。「ウザい」でもいい。その次に「なぜなら」とつけるだけで、その理由を考えざるを得なくなる。こうすると、脳みそは怠けてはいられなくなる。「ヤバい！」理由を「言語化」せざるを得なくなるのです。

・ヤバい！　二度寝して遅刻しそうだから。
・ヤバい！　彼のつくってくれたチャーハンがおいしいから。
・ヤバい！　上司が一番気にさわることを言ってしまった！

常に「ヤバい！」＋「なぜなら……」のセットで考える癖をつけましょう。

みなさんが、「ヤバい」や「ウザい」という言葉で、なんでも片付けてしまいたい気持ちもわかります。情報が溢れかえっている今、いちいち「今の空は何色かな?」なんて考えるのはしんどい。「空は、青!」と記号化したい。同じように「心が動いたときは、ヤバい!」と決めた方が便利です。

しかし、その便利さが、あなたから「言語化力」いや、考える力、感じる力を奪っているのです。気をつけましょうね。

SUMMARY 5

語彙を増やすには「ヤバい!」+「なぜなら……」で理由を考える癖をつける

本音トークをノートに書き殴る

みなさん、こんにちは。今日は6日目の講義です。

前回まで、3回続けて「語彙の増やし方」についてお話ししました。「思い」を「言葉」にすることが「言語化力」。その「思い」を示す語彙が少なければ、自分の考えがまとまらず、相手に正確に伝わりません。

しかし、残念なことに、語彙力が向上すれば、言語化力が上がるかといえば、そんな単純な話にはなりません。

あなたが怒っていたとします。その怒りを明確に表す語彙は、「怒り」「憤慨」「切れた」「逆上」「腹が立つ」「激おこ」のどれが適当か？　と考えるだけで「言語化力」が増したとは言えませんよね。つまり、**語彙力は、「言語化力」をアップさせるため**

の基本の「き」なのです。

今日からは、その先にいきます。自分の「思い」をまとめる方法――自分の「思い」を文章化する技術です。

◉書くことで、言語化脳を鍛える

「言語化力」なんて大層な名前の講義をしている私ですが、普段はぼーっとしています。気分がモヤモヤしているだけで、その正体がつかめず、言葉では言い表せない不安に駆られている。それが私のフツーの姿です。

脳科学のお話です。人間の脳には感情などを司る右脳と理性を司る左脳があることはご存じの方も多いでしょう。さらにこの右脳は「自分の感情」を支配し、左脳は「自分以外の感情」を読み取ることに使われるとか。この双方の脳の働きが発達不足だったり、偏っていると考えがうまくまとまらないそうです。では、脳みそを効果的に働かせて、モヤモヤや不安をとるにはどうすればいいのか。

多くの人が指摘しているのが「ノートに手書きする」という方法です。

「なんだぁ、そんなの知ってるよ」という方、いますよね。また、「書けば脳が活性化！」という話かとがっかりされた方もいると思います。では、お尋ねします。あなたは、ノートに「思い」を書くことを続けていますか？　「続けた結果、脳がスッキリ！」なーんて言える人はいないはずです。それならこの講座を受ける必要もないですからね。

◉安いノートに書き殴る

失敗した方は、ＹｏｕＴｕｂｅなどでよく紹介されている「モーニングノート」のようなものをつけていませんでしたか。Ａ４サイズの大きなノートに、毎朝3ページ、自分の頭に浮かんだことを書く。これは非常に効果的な方法ですが、毎朝、３ページもノートに書く時間のあるビジネスパーソンはそうはいないでしょう。Ａ４ノートを持ち歩くのも大変です。

失敗した方の中には、高級なノートを使った人もいるでしょう。英国製のスマイソンのような1冊8000円以上するノートね。こういうのを使うと「きれいに書こう」とばかり考えて、「カフェの外は秋雨。街ゆく人がコートの襟を立て忙しそうに歩いている」みたいなカッコいい文章を書きたくなります。これもダメですね。

自分の悩みを書くノートですから、「山崎のバカやろー」などと上司の名前を油性マジックで大書できる方がいいんです。イラストや落書きも自由に書けるものにしましょう。100円ショップで売っているノートがリーズナブルです。私は、ダイソーの「Complete」という3冊セットで「税込110円」というノートを使っています。結構書きやすいし、感情のほとばしりを書き殴るにはちょうどいいんですね。要は、カッコつけずに書けるものが一番なんです。

◎パジャマ言葉でノートに書く

さて、実際に書いてみましょう。

「言語化力」の基本は、口から発せられる言葉です。だから、会話口調で書きます。

しかも、普段着の言葉です。普段着というより寝る前のパジャマ姿。お化粧も落とした姿で発する言葉がいいんです。

「山崎部長の今日の発言は、許せない」

は、まだまだ裃(かみしも)を脱いでいない。

「こら、山崎！　あれはないやろ！　人として最低やで」

……と、突然関西弁になったのは、私は生まれが関西なもので、日頃は標準語を話していますが、心の中の言葉は関西弁なんですね。だから心の中でしばしば「こいつ、アホや」なんて言っている。

このノートは、心を解放し、脳に浮かんだ言葉を素直に書き取るものですから、自分の内なる心で日頃使っている言葉で書きましょう。

「あぁ、しんどいわ。昨日から何時間働いてんねん。暑いしなぁ、窓あけたら、工事や。カンカンうるさいわ。イライラすんなぁ」

というのは、最近のページから拾ってみた私の言葉です。「こんなくだらないことを書くのか！」と思うかもしれません。これでいいんです。大切なことは、脳とペンを直結させること。脳に浮かんだ言葉を、文字という形にすること。この訓練をすれば、脳と口も直結する。脳と口に「言語化」のパイプが通ります。どんどん書いていきましょう。

SUMMARY 6

安いノートに、自分の脳裏に浮かんだすべての言葉を書き出そう

ノートで「目玉おやじ」と対話する

みなさん、こんにちは。今日は7日目。ちょうど1週間です。安息日が欲しいところですが、今日も講義を続けます。

前回に続いて、今回もノートを使って「言語化力」を強化する方法を教えます。ノートの準備はよろしいですか。

さて、みなさんは、何歳ぐらいから人前で話すことが苦手になったのでしょうか。大学生に聞くと、大体小学4年生くらいから、恥ずかしくなったり、億劫（おっくう）になっていくようです。個人差はありますが、ほぼこのあたりです。

年齢でいえば10歳。昔は「つばなれ」と言いまして、ひとつ……やっつ、ここのつ

と最後に「つ」がついていたものが10歳（とお）になるとはずれる。これを「つばなれ」と言いました。この年齢になると、親離れができる。丁稚（でっち）などになって働くことができる。同時に、人前に出ると恥ずかしくもなるわけです。これは「自我」――自分の中にもう一人の自分が芽生えて、そいつが、自分自身に「みんな、怖い目で見ているぞ」「そんなこと言って、嫌われたらどうするんだよ」とブレーキをかけてくる。面倒なことですが、これは成長の証しでもあるのです。

◉自我という「目玉おやじ」と対話する

私は、この自我を『ゲゲゲの鬼太郎』に出てくる「目玉おやじ」のようなものだと思っています。自分の体の一部なのに、自分から少し離れて忠告してくる。それも怖がりで、保守的な性格です。

この自我という「目玉おやじ」とノートで対話するのが、今日の言語化力強化法です。

前回は、ノートに自分の思いをぶつけろという話をしました。「思い」と「言葉」

を嘘（うそ）いつわりなくくっつける練習でしたね。今日はそこからさらに進んで、ノートを通して自分と対話しましょう。

文章は、普段自分が話す口語体で書くのが原則です。少しやってみましょう。

「あぁ、あの上司、私ばかり怒る。ほんと頭にくる」

と書いたところで、「目玉おやじ」の登場です。

「なんで、私ばかり怒られるんだろうね」

と質問してきます。

そう、自我は自分の「聞き役」なんです。

「あの人、清水さんの方が私よりお気に入りなのよ」

すると、また「目玉おやじ」が出てきて、

「なんで、清水さんの方がお気に入りなんだろう」

と言ってくる。

「だって、私は上司をガン無視してるけど、清水さんは、愛想よくふるまっているからよ。あの人、調子いいのよ」

と書いていくと、上司が私を嫌っている理由がだんだん見えてきます。続ければ、あなたの怒りの震源地に到達するはずです。

こうして**自分との対話を続けると、あるべき姿と現状とのギャップが見えてきます。**対話することで、思考が深まっていく。すると、ただの怒りやモヤモヤが、次第に明確な言葉になってくるわけです。

この場合だと、「上司の態度」への怒りよりも「清水さん」への嫉妬の方が強いとわかってきます。これが、言語化で思考を深めるということです。

◉絵コンテのように話を進める

「対話を全部文字にするのが面倒だ」と、あなたはきっと考えるでしょう。そう、面倒です。本当は全部書いた方が思考が深まるのですが、忙しいみなさんには無理な話かもしれません。

そこで、私が広告会社で学んだ方法を教えましょう。

私たちがＣＭをつくるとき、長方形の枠が縦に並んだ「絵コンテ」をつくります。上段から下段へとストーリーが流れていきます。これを応用してノートに書いていきます。

長方形の枠の中に「上司に頭きた」と書いたら、下の枠に「なぜ?」と、「目玉おやじ」の問いを書く。またその次に、「私ばかり怒られる」と書いていくわけですね。これなら長い文章にする必要はありません。図式化しているので心の動きもよくわかります。「目玉おやじ」パートは違う色のペンで書くと、もっとわかりやすくなります。

「言語化」とは「思い」を「言葉」にすること。その「思い」の精度を上げるために、「自我」というもう一人の自分と対話していく。「言語化力」を高める効果的な方法です。

「無印良品」では「絵コンテ」にも使える4コマ入りのノートを売っています。それを活用すると、思考の流れがより明確になります。今日はここまでです。

SUMMARY 7

ノートを媒介に、自我というもう一人の自分と対話して、思考を深めていく

「言葉の磁石」に類語を集める

みなさん、こんにちは。「八」は末広がり。縁起がいいですね。8日目の講義を始めます。

本日は、私が長年在籍していた博報堂制作局で学んだ語彙の増やし方、言葉のセンスの磨き方を教えますね。

コピーライターにとって、「言葉」は燃料です。様々なジャンルの言葉、いろいろな言葉の言い換えを知っていることが、表現のクオリティに直結します。

これは、私が若い頃に教えてもらった方法の中でも一番役に立ったものです。「言葉のプロ」を対象にしたものですから、これまでよりは難しいかもしれませんが、力になりますのでぜひ受講してください。

◉言い換え、すり替え

私が教わった方法は「言い換え」と「すり替え」というものでした。これもノートに書いていきます。

ノートを開いてください。真ん中に楕円を書いて、その中に語彙を増やしたい言葉を書きます。例えば「好き」という言葉を深掘りするとしましょう。楕円の中に、大きく「好き」と書いてください。

では、左側のページから始めましょう。ここに「好きです！」という代わりにどんな言い換えがあるかを書いていきます。

好きです。愛してます。推しです。お気に入りです。ひと目ぼれです。熱中してます。しびれます。気があいます。〇〇命！　相思相愛。目がないです。おぼれてます。〇〇沼。逝きそう。きゅんきゅん。幸せです。浄化されます。眠れません。たまらんです。ニヤニヤがとまりません。召されそう……。

正しいかどうかではありません。あなたが「好き」と言う代わりに、「これは使えるな」と思う言葉を書いていく。すべて思いつくわけではないので、マンガやネットに書き込まれる言葉、友人のＬＩＮＥなどで使われるとんがったり、ざわざわした言葉を見つけるたびに書き込んでいきます。これだけで、かなり語彙力が上がります。

さらに右側のページには「好き」という言葉とすり替え可能なモノやコトを書いていきます。例えば、

好きと言えば、ぬいぐるみ　　好きと言えば、ファンクラブ
好きと言えば、お金　　好きと言えば、プレゼント
好きと言えば、遠足　　好きと言えば、お泊まり

というように、これも自由に書いてください。「隠しているけど、賄賂(わいろ)もみんな好きだよね」「ゲテモノも結構好きな人多い」「公園って、好きな人がいっぱいいそう」

など、「好き」という言葉から想像される景色、モノ、コトなどを書いていく。これが「好きのすり替え」です。

こうして「好き」という楕円の周りに、あなたの想像する「好き」にまつわる言葉やイメージが磁石に吸い寄せられるように集まってくる。このノートの見開きが、あなただけの「好き」にまつわる辞書になっていくのです。

古いコピーで恐縮ですが、私が新人の頃に航空会社の沖縄観光キャンペーンがありました。

[言葉の言い換え]
好きです。愛してます。
推しです。お気に入りです。
ひと目ぼれです。熱中してます。
しびれます。気があいます。
○○命！　相思相愛。
目がないです。
おぼれてます。
○○沼。逝きそう。
きゅんきゅん。
幸せです。
浄化されます。眠れません。
たまらんです。
ニヤニヤがとまりません。
召されそう。
好き
[言葉のすり替え]
好きと言えば、ぬいぐるみ
好きと言えば、ファンクラブ
好きと言えば、お金
好きと言えば、プレゼント
好きと言えば、遠足
好きと言えば、お泊まり

「トースト娘ができあがる」

というコピーでした。トースト娘とは、日焼けした女性のこと（当時は、肌を焼くことにおおらかな時代でした）。私は、どのように考えていけば、「沖縄の日差しの中で遊ぶ」ことを「トースト娘ができあがる」と類推し、想像できるのか、不思議でなりませんでした。「私には、そんな発想力はない」と落ち込みもしました。

しかし、こうした発想も、一部の天才を除いては、地道に「言葉の磁石」にどんな言葉が集まるかを書き出していくことから始まるのです。

これを教わったことが、私の「言語化力」の原点だったように思います。

◎まずは類語辞典を検索しよう

さて、ちょっとプロっぽい話になってしまいました。この講座を受講して、語彙力強化に興味をもった方には、ぜひ挑戦してほしいテクニックです。

しかし、急にここまではできないという方のために、手軽に言葉の言い換え、類語

を増やす方法も教えておきましょう。

私は、普段文章を書くときに、連想類語辞典（https://renso-ruigo.com/）を用いています。

検索ワードに「好き」と入れれば、「黒目が大きくなる」「でれでれ」「猫かわいがり」などといった面白い言葉が出てきます。これを眺めているだけでも、「こういう言い回しがあるのか！」という発見があります。

「言語化力」を向上させるには、たくさんの言葉に触れること。そしてたくさんの言葉を自由に、自分の思うがままに考えることです。あなたの言葉の畑をどんどん耕してください。きっと他の畑ではとれない言葉の果実が収穫できるはずです。

SUMMARY 8

ひとつの言葉の言い換えやすり替えを、自由に発想していく。自分だけの辞典をつくろう

デジタルツールに気になる言葉をストックする

みなさん、こんにちは。今日で9日目になります。

ここまでは、第1章「言語化力の基本の『き』」ということで、脳内にある「思い」を表現するために、情報化社会の中で、怠けがちな脳を鍛え直し、語彙を増やす方法を教えてきました。

そのひとつとして、ノートを活用し、自分の感情を言葉に書き出し、「自我」というもう一人の自分と対話することを勧めました。

しかし、残念なことに、私たちの生活からノートに手書きする習慣が失われつつあります。それよりもスマホに書き込む方が明らかに便利。手軽に「言語化力」を強化

するために、デジタルツールの活用法も教えてほしいという要望がありましたので、今回はその話をします。

ただし、記憶の定着、理解の促進などの効果でいえば、手書きの方が優れていることを忘れないでください。手で文字を書くことによって、脳は情報を深く考え、処理します。記憶を長く保つことにも効果があります。「ノートに手書き」を推奨した上で、デジタルツールについても考えていきましょう。

◉Google Keepと瞬間日記

かく言う私も、最近はノート以上に、スマホのアプリを活用しています。最もよく使うのはGoogle Keepというアプリです。基本操作が簡単な上に、他のGoogleアプリと連携しているので、何かと便利です。

私の使い方は、街で拾った言葉、誰かが話したこと、本の引用、ネット検索したもののコピペなど、ありとあらゆるものを「Google Keep」に打ち込んでいます。本来は「ToDoリスト」などの作成に用いるものでしょう。しかし、文頭に四角いチェックボックスがついていて、そこに「これはいいな」と思った文章や単語をどんどん書き込んでいく。1日に40〜50の情報をここに集めています。

ちなみに某日、私が書き込んだものは次の通り。


「違う『世界』の人と話す。IQコントロール」

「スキル倒れ　磨くと偉そうになる」

「積極的無責任」

「意思力とは、重い腰を上げるチカラ」

「歩く速度が遅い。みんなに抜かれる」


とにかく、気になったもの、心がささくれだったものをすぐにメモしています。本来なら忘れてしまうような言葉を、デジタルツールは簡単に残すことができる。集め

た言葉を寝る前に見返して、要らないものはチェックボックスにチェックを入れます。その項目の文章は、打ち消し線を引かれて別の場所に保管されるので、あとで見返すことも可能です。

誰かに会ったとき、その会話の中でキーワードになったものを3つ程度書き出しておくと、次に会うときのきっかけの言葉になる。まさに「言語化力ツール」としてはうってつけのものです。

◉瞬間日記をつけよう

これはもう7〜8年は使っています。「瞬間日記」というもので、3〜4行の日記を書くと、日付と時間を入れて保存してくれます。

私の日記はこんな感じです。

> 今日の講義は調子が出なかった。と思ったら、いつも真剣に聞いてくれている子から、「今日は眠かったです」と出欠表に書き込まれた。調子が悪いのはすぐ

バレる。
〇〇が「陳腐な人が嫌い」と言った。陳腐とは、ありふれていて、古くさくて、つまらないこと。それはまさに今日の私だ。

7日目に教えた「自我との対話」に近いものを書いている。現状をモヤモヤした状態のままにしないで、その状態を言葉で分析しようとしています。

これは私がやっていることなので、みなさんならもっと便利なツールをご存じかもしれません。いいものがあったら教えてください。

◎ツールに関しては、食わず嫌いにならないこと

大切なことは、ツールに関しては食わず嫌いにならないことです。「ノートに書くのは無理だ」と初めから諦めるのではなく、安いノートを1冊買って、頭に浮かんだ

言葉を書いてみる。「このアプリは使いにくい」とすぐに諦めるのではなく、3～4日でも真剣に使ってみる。

目的は、あくまであなたの「言語化力」を強化することなので、人の意見に左右されないで、頭の中を整理し、知らない言葉をストックして、便利なものはどんどん使っていきましょう。

ちなみに私の講義の大半は、Google Keepにメモした内容を整理してつくっていますので、これがなかったら、大変困ります。

SUMMARY 9

ツールは、あくまで自分が使いやすいものを。食わず嫌いにならないこと

ネガティブワードをデトックスしよう

さて、今日は第1章「言語化力の基本の『き』」の最終日です。最後は、これまでの講義の中でみなさんから届いた質問にお答えします。

一番多かった質問は、こういう内容のものでした。

「講義を受けて、早速ノートを買い、お気に入りの水性ペンでありのままの自分を書き出してみました。『パジャマ言葉』で、普段と同じ言葉で書き出してみました。すると、どうでしょう。おそろしいほどネガティブなことばかり書いてしまうのです。しんどい、もう限界、あいつなんか死ねばいい。ここから離れたい。何もかも捨て

たい。疲れた。なんで、こんなに私ばかりが苦労するんだ……。

しばらく書いて『これが私の本音なの？』と思ったら怖くなりました。私の中の『言語化力』ってネガティブなものばかりだと思うと、余計に自己嫌悪です。こんな言葉が口に出たら、社会から抹殺されます。どうすればいいのでしょう」

言い方は違っても「書き出したら、ネガティブなことばかり考えてしまう」というものが多かったのです。さて、これはいけないことなのでしょうか。

◉それこそが、ありのままの自分。さぁ、ここからだ

結論から言います。「その気持ちを、言葉にできてよかったね」。

その言葉は、自分の中から出た自分の言葉です。正直な自分です。

それを否定し、陽気な仮面をかぶったところで、あなたの言葉が「自分の言葉」になることはないでしょう。

世間ではポジティブシンキングがよいとされています。もちろん、肯定的にものご

とを考えることは大切です。しかし、「ポジティブ」であることにとらわれすぎて、本当は否定的で、怖くて、心配性の自分を隠してとりあえず笑って済ませている。そんな人が多いのです。

私のところにくる学生の中にも、陽気だった子が、突然ひとつの話をきっかけに泣き崩れて、「ダメな私」を吐露し続ける。そんな子がたくさんいます。つらかったんだろうね。背中をとんとんと優しく叩きたくなります。

ネガティブに考えてしまうのは、人として当たり前のこと。それで悩むことはありません。

◉吐き出したら、再建計画を

ノートには、たくさんのネガティブな言葉が並んだ。それを否定してはいけません。嘆く必要もありません。「あぁ、ここまで吐き出せてよかったな」と素直に書けた自分を褒めてあげようじゃないですか。これまでは心の中でモヤモヤするだけだったり、見えないように隠しもっていた言葉です。その「思い」を「言葉」にすることができた。これだけで、あなたの「言語化力」は格段に進歩したのです。

大切なのは、ここで終わらないこと。「ネガティブでダメな自分」で諦めないことです。

「現状は、こんなもんだ。さて、どうすればいいか」と客観的に考える。自分で自分のメンタルコーチをするつもりで、「この子を励まし、気持ちと行動を変えさせるにはどうしたらいいか」と考えて、今度は心情を吐露するだけでなく、この子を再建するための計画を、目玉おやじ（＝自我）と対話し、戦略を練っていけばいいのです。

自分　　「今の仕事、相当きつそうだね」
目玉おやじ　「うん、山下さんとソリが合わないんだね」
自分　　「あの人、デジタル音痴すぎてイライラするみたい」
目玉おやじ　「人事の野口さんに相談できないのかな」

などと、考えていく。これは「ネガティブな吐露」があって初めてできることなのです。

◎現代人に心のデトックスは必要

ネガティブな感情を否定するのはやめましょう。その「思い」を「言葉」にすることができたあなたは「心のデトックス」ができたということです。悲しくて涙を流すとストレスがやわらぎ、気持ちがすっきりするものです。出てきた悪い言葉にびっくりしないで、スッキリした気分になりましょう。

人はポジティブになることもネガティブになることもあります。どちらかに偏ることなく「中庸（ちゅうよう）」というポジションを保つことが大事。そのためにこのノートはあるのです。いい子ちゃんの私、優等生の僕、仮面をかぶった私から脱皮する。これが「言語化力」の本当の意味での基本の「き」なのです。

SUMMARY 10

ネガティブな感情を書き出せたあなたは、
心のデトックスができたのです！

coffee break

COLUMN 1

「言語化のはじめの一歩」はこの言葉から

簡単に言語化力の向上を実感できる方法を教えましょう。

その方法は、「ありがとう」をたくさん言うというものです。……と言ったそばからみなさんの落胆する顔が見えます。「なーんだ、そんなことか」。その気持ちも痛いほどわかるけれど、もう少し我慢して聞いてください。

言語化力とは「思い」を「言葉」にする力です。その「思い」が、人に対する感謝のときは、「ありがとう」「ありがとうございます」という言葉になって表れます。至ってシンプルな話です。

しかし、みなさんは、日々の生活の中で、誰かに何かをしてもらったとき、助けてもらったとき、励ましてもらったとき、ご飯をごちそうしてもらったとき、「ありがとう」としっかり口に出して言語化できているでしょうか。

コンビニエンスストアの店員さんに、あなたの会社を守ってくれているガードマンさんに、エレベーターのボタンを押してあなたを待っていてくれた人に、あなたは当然だ、当たり前だ、いちいち感謝の念など抱く必要はないなどと考えず、「ありがとう」を口にしていますか。

「言語化力」とは、人の行為に敏感になり、その行為に感謝の思いをもって「ありがとう」と言うことに他なりません。これができない人は、理論をいくら学んでも実践できないと私は考えています。

第2章

相手に伝わる「言語化力」

——「話す」ではなく「聞いてもらう」

講義11日目

相手思いの言語化力を身につけよう

みなさん、こんにちは。さて、今日から2番目の項目に入ります。テーマは第2章「相手に伝わる『言語化力』」です。相手に言葉をスムーズに伝えること。同時に「相手の言葉を利用して、言語化力を強化する方法」を学びます。

第1章で語ってきたことは、「言語化力の基本の『き』――『思い』を『言葉』にする基礎力強化」です。まずは、自分の脳内に浮かんでは消えるイメージ、思い、考え、感情の断片をいかにして「言葉」に変えるか。さらには、「思い」を的確な「言葉」にするために、どうやって語彙を増やすか。そんなお話をしてきました。

しかし、これはあくまで「基本」です。言うなれば、上手に独り言が言えるようになるための訓練のようなものです。頭と口、あるいは無意識と意識を直結し、すっと言葉が出るようにはなります。でも、その言葉が、あなたの話を聞いてくれる相手に届かなければ意味のないことですよね。

以前、自衛隊のみなさんに、こんな研修をしたことがあります。

「自衛隊という組織を、被災地の避難所にいる高齢者の方に、わかりやすく説明してください」

すると、隊員の1人が、

「自衛隊法　第一章第三条に自衛隊の任務は規定されています」

と答えました。間違っていません。確かに、

「自衛隊は、我が国の平和と独立を守り、国の安全を保つため、我が国を防衛することを主たる任務とし、必要に応じ、公共の秩序の維持に当たるものとする」

と書かれています。しかし、これで、被災地で明日をも知れぬ不安な毎日を送る高齢者のみなさんを納得させ、安心させる答えになっているでしょうか。

同じ質問を、明治大学の学生にしてみました。すると、

「命をかけて、命を守る。行政機関はいろいろあるけれど、命をかけて私たちを守ってくれるのは自衛隊だけだと私は思います」

と答えました。

さて、みなさん、どちらの言葉の方が納得できるでしょうか。間違いなく「自衛隊法」と答えた人の方が正解でしょう。しかし、相手のことを考えているとは思えない。被災地で震えている高齢者には、「命をかけて、命を守る」という言葉の方が響くのではないでしょうか。これが「相手思いの言語化力」です。

◎駅から自宅までの道順を口頭で説明する

こんなワークもよくやります。

「最寄駅から自宅までの道順を口頭で説明する」

スマホがない時代は、誰もが道順を口頭で説明できたものです。さて、みなさんはできますか。多くの学生は、こんな感じです。

「駅の改札を出て、右に曲がると信号があるから、そこを渡ってしばらくずーっと行くと、左に石の階段があるので、そこを下りて、しばらくまっすぐ行って、コンビニが見えてきたら、その横の道を入って、ちょっと行ったところが家です」

どうでしょう。わかりますか。確かに、自分の脳裏にあることを言語化しているのでしょう。しかし、相手はあなたの最寄駅に降りたことがない。まず辿り着けないでしょう。

「駅から私の家までは10分程度です。南口改札を背に、右を見るとすぐ信号があります。道路の反対側に花屋のある信号です。信号を渡って、そこから50メートルくらい歩くと、青い不動産屋の左に石段が見えてきます。下りたところの左手が公園の階段です。そこを下りて今度はまっすぐ30メートルほど行くと駐車場のあるローソンが見えてきます。そのローソンに行く手前の道を入ると、ベージュ色の壁のマンションが見えてきます。入口が煉瓦（れんが）色の階段になっているマンションです。そこが私の家です」

随分違いますよね。まず、どれくらいで家に着くのか全体の時間を示しています。これがないと「ずーっと」とか「ちょっと」がどれくらいの距離なのか見当がつきません。また、相手にとっては初めての道なので、途中に目印になる建物を示して、「あ、この道でいいんだな」と確信してもらうことも大事。到着する場所は色や形を示さないと、その場所でいいのかどうか、わかりません。

◎相手の頭の中に白いスクリーンがあると思え

自分が知っていることは、相手もある程度理解できるだろうと甘く考えていると、「相手思いの言語化」はできません。相手にこちらのイメージを正確に伝えるために、CMディレクターの先輩から、「相手の頭の中に白いスクリーンがあると考え、そこに色つきの映画が上映されるように話せ」と言われました。先ほどの自衛隊の話も、

「自衛隊法」では何ひとつ頭の中のスクリーンに映像が浮かびません。しかし「命をかけて、命を守る」と聞くと、大洪水の中に取り残された住民を、ヘリコプターから垂らされたロープ1本で救助に向かう自衛隊員の姿が浮かぶでしょう。

さて、第2章は、「相手」を意識することで、より正しく、より鮮明に、相手に伝わる「言語化力」を学んでいきましょう。独りよがりの「言語化」で満足してはいけません。相手を意識し、自分の思いを相手に正確に語れるようになりましょう。

SUMMARY 11

相手の頭の中のスクリーンに、色鮮やかな動画を描く

講義12日目

思いを届けるために、相手を知る

みなさん、こんにちは。「相手に伝わる『言語化力』」の2回目。通算では12日目の講義になります。張りきっていきましょう。

前回は「相手思いの言語化力」ということで、「思い」を「言葉」にする基本段階から、「思い」を「相手に伝わる言葉」にする方法を学びました。独りよがりの「言語化」からの脱皮です。

さて、今日は「相手」について考えます。「相手をよく知る」ことがいかに大切かというお話です。

これは、友人の占い師から聞いた話です。星占い、タロット、四柱推命（しちゅうすいめい）、手相、

姓名判断。ありとあらゆる占いに共通しているのは「生年月日を聞く」ということだそうです。生まれた日がすべての占いの基準になる。同時に、その人に話しかけるとき、世代や年齢を知っていると、コミュニケーションが円滑になるという話でした。

これは、よくわかります。

私も企業研修の講師を依頼されたときには、何歳くらいの、どんな役職の方が受講されるのかを必ず聞きます。例えば、30代半ばと40代半ばでは、かなり意識が違います。いわゆる「ゆとり世代」の30代半ばと、まだまだ昭和時代の意識が残る40代半ばとでは、セクシャル・ハラスメントやパワー・ハラスメントに関する意識がかなり違います。

ある企業で、

「ばかやろー、やめちまえ！」

という言葉を会社で使っていいかという問いに、40代半ば以上は「愛情があれば、いい」と答える人が多かったのに対し、「ゆとり世代以下」では「とんでもない！」と大半が答え、27歳以下のいわゆる「Z世代」は「言われた瞬間に、やめる」と真剣に答える人が数多くいました。

これは世代で示した例ですが、これ以外にも、育った環境、得意分野や知識のレベル、性格、価値観、現在の状況などによって「相手」は違う。だから「相手思いの言語化力」のためには相手を知ることが大切になるのです。

◉ＩＱコントロールができるか

昭和時代の広告業界では「ＩＱコントロール」という言葉がよく使われました。ＩＱとは「知能指数」のこと。しかし広告業界では、「相手のレベルに合わせて、言葉を使い分けよ」という意味として「ＩＱコントロール」という言葉を使っていました。

不遜（ふそん）ですね。上から目線ですね。お叱りは甘んじて受けます。

しかし、相手の知識量や興味のレベルなどに合わせて言葉を選んでいくことは、とても大事なことだと思っています。これができないと、どうしても「独りよがり」な言語化力になってしまいます。

よくあることですが、やたらにカタカナ語で話す人がいますよね。

「上司に、エスカレ（報告）してきた」
「この問題は、クリティカル（危機的）すぎるね」
「君の言い分は、ひとまずメイクセンス（理解）した」

自分では、相手がわかる、あるいはこれくらいのビジネス英語はわかっているのが前提だとして話しているのかもしれません。しかし、相手によってはわからない。

残念ながら、この人は言語のＩＱコントロールセンスがないということになります。同じように、専門用語、業界用語など一部の人にしか通じない言葉を使う人は、ペラペラ話すのはうまくても「言語化力」が劣っていると言わざるを得ません。残念です。

◉ペルソナを意識してみよう

ペルソナ・マーケティングという言葉があります。「ペルソナ（persona）」とは、サービスを受けたり、商品を買ってくれる典型的な人物像のこと。

例えば、郊外にあるスーパーマーケットを夕方に利用してくれる人の年齢、性別、住んでいる所、仕事、年収、趣味、価値観、家族構成、生い立ち、休日の過ごし方などを想定します。これが、現実のお客さん像に近づけば近づくほど「言語化力」は強くなるわけです。

このスーパーの顧客は、若い世代の家族が多く、小学生のお子さんがいる。働くことも大事だけれど、家族で一緒に過ごす時間を大切にしている。この地区の小学校ではもうすぐ運動会がある。――こうしたペルソナを想像できていれば、

「運動会が近づいてるよ！　家族で、焼肉、焼肉！　家族、みんな元気になろう！」

などと店員が宣伝するわけです。「ジューシーなおいしいお肉はいかがですか？」などと言うよりも、ずっと「相手思いの言語化」ができていますよね。

これは実際に私が関わったスーパーですが、ペルソナを想定して「言語化力」を磨くことで売り上げが大きく向上しました。言葉の力はすごいものです。

相手に合わせて、発する言語を変えていく。そのためには、まず「私は、自分勝手な言語化」をしていないかと考えることが大切です。相手をよく知りましょう。

SUMMARY 12

相手をよく知ることで、相手思いの言語化力が身につく

「みやげ話力」を身につけよう

みなさん、こんにちは。今日は、講義の13日目です。

前回の「相手を知る」という講義を受けて、みなさんの一人からメールをいただきました。

「ひきた先生、毎回、楽しく講義を聞いています。しかし、前回の講義、『相手を知る』は、少しついていけない感じでした。正直に言うと、私は人と話すのが嫌いで、相手を知る以前に、どうやれば人と話せるのか、わかっていません。相手を知る前に、とりあえず人前で話せるようになるにはどうすればいいか、教えてもらえませんか」

という内容でした。ありがとうございます。「相手思い」ということで、少し急ぎすぎたかな。そうだね。「相手」を思う前に、自分が面と向かって人前で話すための言語化力について学ぶ必要があるよね。いいご指摘でした。ありがとう。

◉自分の話は、みやげ話

コピーライティングについて学んでいる頃、鈴木康之という名コピーライターが、

「コピーは、読者へのみやげ話」

と言っていました。なるほど、コピーライターは、世の中の人がまだ知らない商品、イベント、サービスなどを先に見て、体験して、それを伝えるのが仕事です。「いやぁ、使ってみたらこんなによかったよ」「行ってみたら、こんなに楽しいところだった」という思いが、コピーになるわけです。

私は、大阪芸術大学が夏休みに入る前に、「後期が始まるとき、みやげ話を書いてくるように」と宿題を出しました。あまり期待していなかったのですが、実に面白い

「みやげ話」がずらりと並びました。

彼と同棲していることが親にバレた話。嫌いだったカボチャが、大手回転寿司チェーンの天ぷらカボチャで食べられるようになった話。20歳の誕生日がコロナに罹患し台無しになった話。家族で焼肉店に行ったら、そこにお笑い芸人がいて、勇気をもって話しかけたこと。実に多彩でした。

たくさん書いてきた学生に聞くと、「初めは意識してなかったけど、夏休みの間中、気にしていたら、『これはいい話だから教えたい』という気持ちが高まってきました。そしたら、あれもこれもみやげ話になりました」と語ってくれました。実はこの気持ち――、

「いい話だから伝えたい」

という気持ちの高まりが、「相手思いの言語化力」の根幹にあると思うのです。

◎みやげ話にまとめる

実は、私が博報堂に入社して、大阪制作局に配属されたときの研修が、この「みやげ話」でした。当時はまだおおらかな時代でね。「朝からうめだ花月に行って、最後まで漫才見て、何がどうおもろかったか報告してくれ」「甲子園球場に行って、みんながどんなヤジを飛ばしたか、何にみんなが笑ったか、教えてくれ」と言われて、毎日出かけていくんです。初めはラクだと思いましたよ。これで給料もらえるならラクなもんだと思いました。

ところが、社に戻って先輩たちに報告すると、誰も笑わない。腕を組んだまま、「それが今日1日の中で一番おもろかったことか?」と言われて不服そうな顔をされるんです。次の日も次の日も、ダメ。だんだん自信がなくなって、頭の中が真っ白になりました。行くのがいやでいやで仕方なくなりました。

10日目くらいだったか、もう漫才を見ても何一つ面白くない。むしろ腹が立つ状態だった。そんなときに目に留まったのが、椅子の上に正座して、阪神デパートで買った「おこわ」を食べながら見ているおばあちゃんでした。すごく厳しい顔で眺めている。しかも小声で「ボケがあかんな」「これで終わりかいな」「東京行ってから、あかんようになったな」などと言っている。気にしていたら、次の日も同じ席で「おこわ」を食べている。

私の中で、「この、おばあさんの生態をみんなに伝えたい！」という気がムクムクと起きてきたんです。そうなると観察に力が入ります。「おこわ」を口に入れて、頬(ほお)を膨らませたままじーっと漫才を見ている様子。売れている芸人に対する悪態がすごいことなどを先輩たちに報告しました。

「ひきた、今回は俺たちに伝えたい！と思ったやろ。気持ちが盛り上がったやろ。それが、みやげ話というもんや。コピーはな、そんな気持ちで書くもんやで。あぁ、これだけはみんなに伝えたい！という気持ちに自分をもっていく。それがコツや」

と言われたのです。私の研修は、この日で終了になりました。

誰かにみやげ話を語れるということは、「これだけはどうしても伝えたい」というものが見えてくることです。気持ちが高まってくることなのです。

映画を観たとき、コンサートに行ったとき、おいしいものを食べたとき――それを誰かにみやげ話として語るとしたら、何を中心に語るかをぜひ考えてください。これはいい話だから誰かに伝えたい！という気持ちが、「言語化力」を高めるモチベーションになるのです。

大阪芸術大学の学生は、毎週「みやげ話」をもって研究室にやってきます。3〜4カ月で驚くほど話がうまくなっています。「語る相手」がいることで、言葉が洗練されていく。これが「相手思いの言語化力」の一例ではないでしょうか。

SUMMARY 13

これはいい話だから、誰かに伝えたい。みやげ話が言語化力を強くする

言葉の具体化、細分化

みなさん、こんにちは。第2章の4回目。14日目の講義を始めます。

今日は、「言葉の具体化」というお話をします。

5日目の講義で、私は「『ヤバい』は禁止」というお話をしました。「ヤバい」という便利な言葉で何もかも間に合わせていると、脳が他の言葉を探すことを怠けだす。すると語彙がどんどん減っていってしまう。そんなお話でした。

今回は、この「ヤバい」の話に似ています。違いは、以前は「自分の語彙を増やす」ことが目的だったのに対し、今回は「人により正確に伝えるため」に言葉を細分化していこうという話です。具体例で話しましょう。

・慶應義塾大学の学生って、すごいね。
・あそこの店のお好み焼き、すごいね。
・上原さんのファッションセンス、すごいね。

と、なんでもかんでも「すごいね」で語っています。よく知る人同士で話しているときは通じるのかもしれませんが、少し距離がある人だとまず通じません。この「すごいね」をもう少し具体化してみましょう。

・慶應義塾大学の学生って、垢抜けた感じがすごいね。
・あそこの店のお好み焼きって、具がぎっしり入っていてすごいね。
・上原さんのファッションセンス、色の組み合わせが大胆ですごいね。

前に比べると、ずっとわかりやすくなりますよね。「言語化力」を身につけるには、このように「すごい！」という直感ですませている言葉を、より分析し、具体化することが大事なんです。

11日目の講義で、「自宅までの道順」を語る練習をしました。あのときも、「ずーっと行くと」とか「ちょっと行ったところ」といった言葉が大雑把すぎるという話をしましたね。「50メートルくらい歩くと」とか「30メートルほど行くと」などと具体化した方が正確に伝わるという話でした。

これに似たような言葉を、私たちは会話の中でたくさん使っています。

ずっと多い、ちょっと少ない、パラパラとしか人がいない。案外、人がいた。いろいろあって困ってます。様々な考えの方がいるようです。そういう考えの人は大勢います。よく来ます。私もたまに来ます……。

などという言葉を会話に混ぜていないでしょうか。これもわかりにくいです。なぜわからないか。

「案外、人がいた」を例にとると、「私は、そんなに人が入らないと思っていたけれど、思った以上に人がいた」と言っていますよね。これ、自分の思い込みがかなり入っています。主観的であり、自己中心的です。

私たちは今、「相手思いの言語化力」を学んでいます。そのためには、こうした主観や自己中心的な判断を極力控える必要があります。

「案外、人がいた」↓「定員の6割ほど、人がいた」

こうして数値で示すと、誰もが同じ判断ができます。これが「言葉」の具体化です。

◉事情を具体化する

言葉の具体化は、こうした数値で表すものばかりではありません。

以前、上司から、こんなお叱りを受けたことがあります。

「ひきた、この競合プレゼンに参加してくれ」

「……すみません。ちょっと今、忙しくて」

「……忙しいかどうかは、お前一人で決めることじゃない。私と話して、決めることだ」

と言われて、忙しい中身を具体的に話すことになりました。結局、大して忙しくないことがバレて、仕事を入れられました。ちゃんと「忙しい」を具体化し、理論武装しておくべきでした。


「忙しい」「難しい」「厳しい」といった言葉は、自己中心的になりがちです。


「現在、4つの仕事が動いていて、忙しい」

「その分野に詳しい人間がいないので、仕事を受けるのは難しい」

「偏差値で3ポイント足りない。合格は、厳しい」


など、事情や背景を具体化することで、あなたの「言語化力」は、より相手も納得

できるものへと変化していきます。

SNSならなんでも「いいね！」ですみますが、リアルなコミュニケーションはそう簡単なものではありません。「なぜ、いいのか」「どこが、いいのか」を具体的にしなければ、相手の心には届きません。大雑把な言葉で片付けているものを、具体的に語っていく。日々気をつけるようにしましょうね。

SUMMARY 14

大雑把な言葉は、言語化力を低下させる。より具体的な言葉を使おう

「しばり」を入れて視点を変えよう

みなさん、こんにちは。今日は講義15日目です。みなさん、本当によくついてきてくれていますね。感謝します。

今日は「『しばり』を入れて視点を変える」という話です。「しばり」とは、カラオケで「今日は、アニメしばりで行こう！」みたいに「制約」を設けることを指します。

まずは私の黒歴史から語ります。

私の苗字は、漢字で「蟇田」と書きます。「蟇」とは「ひきがえる」の「ひき」なんです。子どもの頃、これがイヤでイヤで仕方ありませんでした。転校が多かったので、学校が変わるたびに、自己紹介をさせられます。すると先生が「ひきがえるの蟇か、珍し

い名前やなぁ」などと言います。たいてい、新しいクラスのみんなに大笑いされました。どの学校に行っても、あだ名は「かえる」。ひどいときには、黄緑色の絵の具を体操服にかけられて「かえる色や！」と言われたこともあります。ひどいイジメでした。

博報堂に入社して、この自己紹介を何度もさせられました。初めはイヤだなぁと思っていたのですが、「蟇田」の由来について語ることは一切ありませんでした。

「今日は、数字しばりで自己紹介して。数字をいっぱい入れて語ってください」
「今日は、色しばり。色をたくさん入れて、自分を語って」
「今日は、地名しばり。地名をたくさん入れてください」

と、毎日何回となく「〜しばり」の自己紹介をするのです。

自己紹介といえば出身地に出身大学……などという固定観念はあっさり崩されました。こうした「〜しばり自己紹介」を手を替え品を替え何十回とやるうちに、決まりきった「蓑田吉昭」のイメージが崩れて、様々な視点から自分を考えられるようになりました。

◎「～しばり」で商品を見る

これが広告クリエイティブの発想法だと知ったのは、実際に制作局で働き出してからでした。

日本酒の仕事が入りました。あまり有名でないお酒です。私が「知らないし、パッケージもダサい。味も甘そうだ」などと偉そうに言っていると、ディレクターが、

「お前、それではただの消費者と変わらん。広告マンのところに来る商品は売れているものなどない。売れないもの、名前の知られてないもの、古くなったもの。そういうものに新しい視点を当てるのが我々の仕事だ」

と言ったのです。

そこから「～しばり」が始まりました。「感謝しばりでお酒を考える」「別れしばりで考える」「ひとりぼっちしばりで考える」「船乗りしばりで考える」「芸妓(げいこ)しばりで考える」「定年退職の日しばりで考える」と、みんなであれこれ。

「しばり」を入れて、シチュエーションを想像し、どういうときに呑むと、この日本酒が映えるのかを朝方まで考えたのです。

「そうか！　このために、自己紹介で『～しばり』を考えたのか！」

とわかったのは、この仕事を通してのことでした。

◉「しばり」を入れると、想像力が働く

あなたの言語化力強化にも、この方法は役立つと考えます。第1章では、とにかく語彙を増やす方法を考えましたが、ここでは相手により思いを伝えるために「～しばり」を入れて語ることを提案します。

これもまた実際にあった話です。

仲良くしていただいた得意先の宣伝部長と会食したときのこと。実にユーモアに溢

れる彼は、

「ひきたさん、今日が地球最後の日ということで、語ることにしませんか」

と言い出したのです。「最後の日しばり」でした。

「今日で地球が終わりかと思うと、不思議と親の墓参りに行けていないことが悔やまれますね。私の家は、福岡なんですよ」

と宣伝部長が口を開きました。私は彼が福岡出身だなんて知りませんでした。「〜しばり」だからこそ、会話が広がったのです。

こんなふうにゲーム感覚でやるのも楽しいですが、心ひそかに今日は「趣味しばり」で話してみようなどと決めて、語り出す。続かなければ「旅行しばり」にしようか、などと話材を絞って語り出すと、案外深い会話ができるものです。

◉狭いほど、深く話せる

思えば、仕事のあと、同僚と上司や会社の悪口を言って呑むのが楽しかった。昭和のサラリーマンによくある風景です。今から思えば「上司しばり」でみんなが話したから、いろいろ深い話になった。それが楽しかったのです。

言語化力も狭いほど深く語る力になるものです。「今日はデータ重視で語ろう」「今日は得意先動向を中心にしよう」などと「しばり」を入れると要点がしっかりした話になる。あなたの話は一気にわかりやすくなること請け合いです。

「それでは、ここで、『食べ物しばり』で自己紹介をやってみましょう。たくさんの食べ物を入れて語ってください。えっと、それでは西田さんからお願いします」

SUMMARY 15

「～しばり」で語ることで、新しい視点が生まれ、話が深まる

相手の使った言葉を会話に取り入れる

みなさん、こんにちは。16日目の講義です。相手がよく理解できる言語化力を養うために、「相手の発した言葉」を使って言語化力を高める方法を教えます。「合気道」という武道があります。「合気」とは、気を合わせること。相手と戦ったり、相手に逆らったりせず、相手の力をうまく利用しながら、相手を気持ちよく動かす。これが「合気道」です。

交渉、対話、雑談など、相手と話す極意は、この「合気道」と同じです。気を合わせる。呼吸や動作、話す速度も合わせていく。これらを「ページング」と言います。同じ行動をとることで、気が合ってくる。話しやすい環境が整います。

「言語化力」を学ぶみなさんは、ここからさらに進みましょう。

相手の言葉に合わせていく。相手の言葉を使って話す。
つまり、相手の言葉を自分の言語化力の中に取り入れていくのです。

人間は不思議なもので、自分が発した言葉を、他人の声で聴くと、その言葉が気になります。「そうそう、私が強調したいのはそこだよ」「今の言葉、わかりにくいかな」「私、そんなきつい言葉を使ってしまったんだ」と共感したり、反省したりするものです。要するに、自分が使った単語やフレーズをよく聴くということです。これを使わない手はありません。

◉相手の言葉から、重要だと思う言葉を3語抜き出す

これは、私の講義でいつも教える方法です。個人的には最も効果があると思いますし、私自身、この方法を身につけてから、自分が変わったという実感があります。

私たちは、普通に話していても、強調したい箇所ではつい声が大きくなったりしま

す。何度も繰り返したり、最後に付け足したりします。

「要するに」「つまり」「重要なのは」「大切です」「ポイントです」といった言葉をつけて話したりもします。それを見逃さず、特によく出てくる単語、フレーズを3語拾い上げてください。実際にやってみましょう。これから話す内容から重要だと思われる言葉を3つピックアップしてください。

「今回のプレゼンで、私が最もお伝えしたいのは『動かす』ということ。人を動かす。心を動かす。お金を動かす。この『動かす』ということができなければ、今回の提案は失敗だと考えております。

それでは、どのようにして『動かす』か。私たちは、これを『MORITA食品・アクションプラン』にまとめてきました。

まず、キャッチフレーズです。

『この瞬間が、MORITAだね』

御社の商品に、お店で出会った瞬間、口にした瞬間、食べているみんなの笑顔

を見た瞬間、『あぁ、MORITAでよかった』と思う。その一瞬がポイントです。つまり、お客様が動くとき、価値を提供できる企業になるということです。そして、何より重要なのは、このキャッチフレーズによって、社内もまた活発に『動かす』こと。活発に動く人の多いMORITA食品をアピールできる点です」

さて、みなさんは、どの3語をピックアップしたでしょうか。

まず、「動かす」は選びましたよね。何度も出てきます。この話の中核をなす言葉です。次は、なんでしょう。「この瞬間が、MORITAだね」。あるいは、「一瞬」という単語を選んだのでしょうか。正解です。これも重要です。

最後は「つまり、お客様が動くとき、価値を提供できる企業になる」。もしくは、「社内もまた活発に『動かす』こと」あたりを選ばれたのではないでしょうか。こういうものに正解はありません。あなたが、ピンときた方を選んでもらえれば結構ですが、「何より重要」という言葉があることを考えて、「社内もまた活発に『動かす』こと」を選んでおきましょう。

「動かす」「瞬間」「活発」という単語が最も大切。つまり、このプレゼンは、「人と商品を『動かす』ことを目的に、MORITA食品と出合った『瞬間』に最大の価値を感じられるようなキャンペーンにする。さらに社内の『活発』もめざす」ということを言いたいのだとわかります。

◉重要なポイントを3つ選ぶクセをつける

初めは難しいかもしれませんが、正解はありません。あくまで、あなたが「大事だな」と思う言葉で結構です。単語でもフレーズでもいい。これは「重要」だと思うものを3つ抜き出す力をつけてください。

話の中から重要な箇所を3つ抜き出す効果は、絶大です。抜き出そうとすることで、傾聴力が高まります。学生が、毎回の授業で重要なポイントを3つ選べるようになれば、間違いなく成績が上がります。何を隠そう、私がそうでした。これは子どもの頃に塾の先生に教わったメソッドです。これをやり出してから、私の成績は驚くほど上

がりました。

そして、「相手の言葉」を利用することで、相手が聞き入れやすい話を展開することができます。最初に述べた通り、自分の話を他人の声で聴くことによって、人は心が動くものです。「よく聞いてくれている」と感激するのです。

「言語化力」は、自分の脳みそにある言葉を使うだけでは、それこそ能がありません。相手の言葉を利用して、相手の言葉で相手を動かす。それをめざしてください。

今日の講義はこれで終わりです。重要だと思った言葉を3語抜き出してみてください。よい復習になりますよ。

SUMMARY 16

相手の言葉を利用して、相手に伝わる話をつくる。大切な言葉を3語抜き出す

Questionを混ぜて話そう

みなさん、こんにちは。17日目の講義を始めます。今日も私の失敗談から聞いてください。

私が明治大学で初めて講義をしたときのことです。私を講義に招聘（しょうへい）してくれた教授から、こんなアドバイスを受けました。

「ひきたさんの講義は、広告会社のプレゼンとしては素晴らしいのだと思います。しかし、学問の場では、一方的に話すのではなく、学生に考えさせることが大切です。学生が手を動かす。発表する時間をつくるともっとよくなりますよ」

講義の出来に自信満々だった私は、ハッとしました。そして、講義の後半になって、こちらがコーフンして元気になるのに対し、学生たちが疲れて、困ったような顔をしていたのを思い出しました。人の気持ちを考えない講義だったのです。実は、この講義が、私の教える「言語化力」の原点になっています。

多くの方が「言語化力」について語り、本を出されています。その多くは自分で力をつけていく方法ですが、私は違います。**他者との対話の中で、パッと言葉が浮かび、スムーズに会話できる方法を教えています。**

これは、哲学者プラトンが「対話」（ダイアローグ）を非常に大切にしたのと同じ考えです。プラトンは、短い対話を繰り返していくことで、真理に近づくことができると言いました。私はこれを信じています。

みなさんも「ブレーンストーミング」という、参加者全員がどんなつまらない話でも否定することなく自由に発言する発想法は知っていると思います。

誰か一人が長々と話すのではなく、前の人の意見に、「それならば、こんなことが考えられるよ」と意見を足していく。こうした意見の繰り返しによって、人は気づき、考え、新しい発見をしていくことができるのです。

◉話を小さくまとめる

さて、対話を通して「言語化力」を強化するにはどうすればいいでしょうか。今回は、3つの方法を教えます。

一つ目は、「Q&A」で語ること。

「そもそも～とは、どういう意味なのでしょう?」「この原因は、一体なんでしょうか」「こういう場合、あなたならどういう行動を起こしますか」などと、会話の中に質問（Question）をたくさん混ぜて話す。こうすることで、相手の意見を聞くことができます。その意見の中に、今の対話をスムーズにする言葉が入っているはずです。

二つ目は、「ここまでいいですか」と区切ること。

長々と話してしまうクセのある人は、ぜひこれを身につけてください。話を短く切って「ここまでいいですか」と相手に問うようにします。お互いの理解度を照らし合わせることで、自分の話がどれくらい通じているかを知る機会にもなります。また、相手の理解度を確かめるとともに、話を止めてブレイクする意味もあります。

小学生に教える機会の多い私は、一般の大人以上に、このブレイクをたくさん入れます。「いいかい」と言うのが口癖になっています。話を小さくまとめましょう。

三つ目は、15秒以内に意見をまとめること。

時間制限がないから、話はどんどん長くなり、あちこちに飛んでしまうのです。1本のテレビCMは、15秒です。短いと思うかもしれませんが、試しに15秒間話してみてください。私がやってみますね。

> 私は、ひきたよしあきと申します。「言葉の力を強くする講義」を全国でやっています。現在、二拠点居住をしています。

これで、大体15秒です。十分な内容を話すことができます。

これは3フレーズでしたが、短くすれば5フレーズは話せるはずです。15秒を1単位として、3フレーズから5フレーズで話をまとめる。お互いがこうすることによって対話が弾むはず。だらだらと話さないことで、お互いの言語化力が高まり、質の高い会話になります。

これらの点に気をつけながら、対話を繰り返してください。あなたの言語化力はめきめき上達します。

◉言語化力の高い人のそばにいる

繰り返しになりますが、言語化力とは、意思の疎通をスムーズに、はっきりさせるスキルです。意思の疎通ですから、常に相手がいます。一人語り（モノローグ）で語れるようになったところで大して役には立ちません。

あなたの「言語化力」が弱い理由のひとつは、こうした対話の場面――じかに会っ

て話す機会が少なすぎるからかもしれません。何事も練習です。

そして、どうせ練習するならば、あなたから見て言語化力の高い人と対話する場を増やしましょう。同レベルの人たちとの楽しい会話だけでは、言語化力の強化にはなりません。理論がしっかりしている人、人の心をつかむのがうまい人、聞き上手、ムードメーカーなど様々な話のプロが近くにいるはず。いない場合は、ネットなどを通じてコミュニティを広げるのも近道かもしれません。自分よりも話上手の人と話し合う機会を数多くつくって、自分の言語化力の武者修行をやってください。

今日の講義はこれで終わりです。

SUMMARY 17

一人で長く話さない。短いフレーズの対話を心がけよう

メンタルモデルを意識する

みなさん、こんにちは。18日目の講義です。

この講義は、13時からの講義です。昼食後、一番眠い時間帯です。みなさんの頭の中は「眠い……」という言葉が大半を占めていると思います。「だるい」「つまらない」「どーでもいい話はやめろ!」とかね。いろいろな声がしているのではないでしょうか。

今、私は、みなさんの頭の中にある言葉を想像してみました。これが今日お話しする「メンタルモデル」というものです。難しい言葉で説明すると「個人の実世界に対する認識や解釈に関する認知モデル」という心理学用語ですが、これを聞いたとき、

あなたの頭の中には、「さっぱり意味がわからない」というフレーズが湧いたのではないでしょうか。これが「メンタルモデルを読む」ということです。

こういうことを言うと、相手はきっとこう考えるだろうな……と、相手が常識的に考えることを想像することなんです。誰もが無意識にもっている価値観や思い込みをイメージしてみてください。

あ、みなさん、睡魔が襲っていますね。「こんな眠い時間にややこしい話をするな」というみなさんのメンタルモデルが私には手にとるようにわかります。

例えば、

「今回発売するシャンプーの最大の特長は、お客様のこんな声から生まれました。『髪を染めたあと、髪が傷んでキシキシする』『髪の水分が失われて、ツヤがなくなってしまう』——このような多くの方々の悩みを解決するために開発されました」

いかがですか。わかりにくいですよね。

どこがわかりにくいのでしょうか。メンタルモデルで考えていきましょう。

「今回発売するシャンプーの最大の特長は」という一言から始まっています。聞き手は当然、その特長について話すだろうと思います。

「今回発売するシャンプーの最大の特長は、髪の奥深くにまでうるおい成分を浸透させ、保湿成分で表面を柔らかく覆います」というような話がくると考えます。ところが、このあとには、お客様の髪に対する悩みが紹介されています。「あれ？　シャンプーの特長はなんなんだ?」と思いますよね。相手が当然教えてもらえると思うことに答えていない。つまりメンタルモデルが崩れているわけです。

こういうことは、日常会話ではしばしばあります。自分ではしっかり説明する気になっているのですが、自分の思いつきやロジックで話を進めてしまい、「こういうことを言うと、相手はきっとこう考えるだろうな」ということがわからない。相手の理解の度合いまで想像できていないんですね。

◉聞き手の気持ちを意識する

「言語化力」の高い話し方とは、ただ自分の意見を一方的に述べるだけのものではありません。聞いてもらう人の気持ちを考えることで、言語化力が高い話し方になるのです。

今日の話を、私の話を聞いたみなさんのメンタルモデル――聞いたときの気持ちを含めて語ってみましょう。

みなさん、こんにちは。18日目の講義です（話し始めはいつも同じだな）。この講義は、13時からの講義です（知ってるよ。だから眠いんだよ）。昼食後、一番眠い時間帯です（その通りだよ。瞼(まぶた)、半分落ちてるよ）。みなさんの頭の中は「眠い……」という言葉が大半を占めていると思います（その通り！）。「だるい」「つまらない」「どーでもいい話はやめろ！」とかね。いろいろな声がしているのではないでしょうか（それは、先生の話がつまらないからだよ）。

今、私は、みなさんの頭の中にある言葉を想像してみました（こっちの頭の中まで言語化するなよ）。これが今日お話しする「メンタルモデル」というものです（なんだ？　急に？　全然わかんないよ。あぁ、余計眠たくなりそうだ）。

みなさんの頭の中に芽生えた言葉を丁寧に想像していく。すると、自分の説明のわかりにくいところ、話が飛んだところ、言葉足らずなところが見えてくるものです。

私は、すぐに睡魔に襲われる学生を相手に「メンタルモデル」のゲームをずっとやってきました。「あ、この説明は難しいな」「しまった。ここで話を飛ばしすぎた」など、常に自分の発言をチェックしながら講義を進める工夫をしてきました。できるなら学生に「なるほどね」「そういうことだったのか」「先を聞かせてほしい」というメンタルモデルをもってもらうような講義をしていきたい。

こうした「相手思い」で自分の言葉を考えていくことで、言語化力は強くなっていくものです。今、相手が何を考えているかを想像しながら、自分の言葉を選び、話を進めていきましょう。今日の講義は、ここまでです。

SUMMARY 18

相手が今、何を考えているかを想像しながら話を進める

「推理小説の犯人捜し」のように対話する

みなさん、こんにちは。さぁ、19日目の講義を始めましょう。

自分の「思い」を適切な「言葉」にする言語化力。その強化法のひとつとして、相手の思いを言語化する方法について学んできました。なぜ、これを学ぶ必要があるかといえば、どんなに自分の「思い」を「言葉」で言い表せるようになっても、それが相手に通じないのであれば、独り言以上のものではない。人に通じない独りよがりの言語化力では意味がないからです。

私の仕事が人と会話を交わすことで成り立っている以上、常に「他人の言葉」を意識しなければなりません。しかし、他人というのは気まぐれで、こちらの思いなど少

しも考えてくれないものです。話の主導権を相手任せにしていたのでは、あなたはただのお人好しです。言語化力は強化されません。言語化力の主人公は、あなたです。相手の気まぐれに振り回されてはいけません。

◉目標を定めるために大切なこと

あなたが話の主導権を握る上で大切なのは「目標を定める」ことです。あなたが、「仕事で京都に泊まるなら、どのホテルが快適かを知る」という目標をもっていたとします。このとき相手が、「私が夏に沖縄に行ったときに泊まったホテルはね」と話し出したら、あなたが知りたい目標には到達できそうもありません。あなたは「沖縄も素敵だけれど、京都のホテルについて何か情報をお持ちですか」と相手の話を修正しなければなりません。

「そうですね。京都なら駅前のホテルより、四条あたりの方が便利ですよ」「そういえば、この前泊まったホテルは、地下に大浴場があって、気持ちよかった」「名前は有名だけれど、あのホテルは観光客が多くてうるさかったなぁ」などという話が出てくればＯＫ。あなたの脳には、「四条あたりで、観光客が少なく、大浴場のあるホテル」という情報がインプットされていきます。

相手の話から情報を引き出すのも、本やネット検索で情報を見つけるのも基本は同じです。有益なインプット量が、適切なアウトプットにつながるのです。言語化力は相手との意思の疎通をスムーズにするものですから、目標を設定して、そこに行き着くための情報や言葉を集めなければなりません。

私の上司は、「理想の対話は、推理小説を読んで、一緒に犯人を推理していくようなもの」と言いました。今回の広告キャンペーンを成功させるためには、「こんな媒体を使えばいいかも」「こんなタレントが有効じゃないか」「こんなイベントもやろう」と広告主（スポンサー）と一緒に犯人捜しをするように考えていく。言語化力のある人は、こんなふうに相手を巻き込む力が強いのです。相手に「これは、私が考えたアイデアだ！」と言わせるくらいまで巻き込む。相手が「自分事化」したいと願うよう

になるまで、相手の言葉、本音、断片のアイデアなどを引き出します。

◎企画書は6割の出来でよい

あるとき、私が上司に企画書を提出したら、すぐに突き返されました。むっとした私が理由を聞くと、「できすぎている。これでは相手が口をはさむ余地がない。学校でいい成績をとるための作文じゃないんだ。『ここから先のことは、バカな私ではわかりません。どうか力を貸してくれませんか』という部分を残しておけば、頭のいい得意先は、つい嬉しくなって、『バカだなぁ、ここはこうするんだよ』と言って得意気に話し出す。相手が解答を言い始める。それを聞かずに、自分ひとりで考えたものなど線が細いに決まっている。みんなの言語化力の総体が強い企画につながるんだ」と言いました。これは目からウロコでした。

企画書は、自分ひとりの頭で考える。オリジナルであることが大事だと信じていたのですが、それこそが傲慢、驕（おご）り、独りよがり、世間知らずということでした。「私の言語化力」ではなく、みんなが同じ目標に向かって考えた「私たちの言語化力」の方が骨太で、意思疎通がスムーズなのは当たり前ですよね。

◉隣の人にすぐ聞く癖を

何か思いついたら、それが30％の出来でも、隣の人、信頼できる人にすぐ話す癖をつけましょう。どうせ30％なんだから、恥ずかしがることはありません。そして必ず、

「あなたに相談してよかった」

と言いましょう。これは相手の「自己存在感」を限りなく高める言葉です。あ

なたの目標を実現するために、「相談してよかった」と言える「言葉の助っ人」を数多く抱えること。人の言葉を利用し尽くしましょう。

SUMMARY 19

目標を定めれば正しいインプットができる。それが正しいアウトプットにつながる

あなたの話にメリットがあるか

みなさん、こんにちは。今日で「相手に伝わる『言語化力』」は終わりです。相手に言葉をスムーズに伝えること。同時に、相手の言葉を利用して、言語化力を強化する方法など、みなさん、ご理解いただけたでしょうか。

この章の最後に、語っておきたいことがあります。これは、私の哲学です。

「自分が話すこと、書くことは、すべてラブレター」

だということ。大きなプレゼンであれ、たわいのない雑談であれ、すぐに捨てられ

てしまうメモも大論文も何一つ変わらない。自分の「思い」を「言葉」にする行為はすべてラブレターを書くようなものだと私は思っています。


みなさんも、ラブレターあるいは告白メールを書いたことがあるでしょう。相手がどんな気持ちで読んでくれるか、どう書けば自分の気持ちが伝わるか。数少ない語彙を総動員して、相手への「思い」を「言葉」にしたのではないでしょうか。1行目を読んだら、2行目を読みたくなるような工夫をあれこれしたのではないでしょうか。

そう、私は、言語化力の強化とはラブレターを書くようなものだと考えています。

◉私と話したら、きっといいことあるぞ

広告マンとしてコピーを書いたり、ＣＭをつくっているときも同じでした。

広告とは、生活者へのラブレターです。

「この商品を使うと、こんないいことがあるよ」「悩みもきっと解決するよ」「大丈夫、私を信じて」「一緒にハッピーになろうよ」「君のいいところが、もっと輝くよ」――

まじめにこんなことを考えて、30年以上暮らしてきました。

その結果、私が得たラブレターを書くコツは、次のようなものです。

- 「なるほどね」と納得してもらう。
- 「言われてみたら、確かにそうだね」と気づいてもらう。
- 「それは知らなかった。そんなやり方もあるんだ」と驚いてもらう。
- 「それはお得だ。役立ちそうだ」と、有益だと思ってもらう。
- 「やってみよう。使ってみよう。行ってみよう」と、行動してもらう。
- 「よかった。また使いたい」と、評価してもらう。

このひとつでも入っていれば、相手はあなたの話を好きになってくれます。いつも楽しく、お得な情報を与えてくれる。ホッとしたり、元気を与えてくれる。そんなふうに思ってくれるはずです。

ただ自分の「思い」を「言葉」にするだけでなく、その言葉が、相手にとって役立つものになっていること。ここまでくれば、あなたの「言語化力」は、どんな人にも愛されるものになるでしょう。

◉感受性を高める

あなたの話すことをラブレターにする。そのためには、あなた自身の感受性を高める必要があります。

感じたことを、口に出すことです。

お風呂に入ったら、「あったかいなぁ、気持ちいいなぁ」。旅行に行って美しい景色に出合ったら「素晴らしいなぁ。きれいだなぁ」。家族団欒（だんらん）ができたなら、素敵な人と食事をしたら「しあわせだなぁ」と感じたことを口にする。

新しいことを始めるときには「やってみよう」。何かを期待しているときは「楽しみだなぁ」。こうしたポジティブな言葉をいつも呟(つぶや)いていると、人に対しても温かい感情を抱けるようになってきます。悲しい映画を観て「悲しいなぁ」。人に中傷されて「傷ついた」。こういうつらい気持ちも、人の心を知るための大切な言葉です。ラブレターへと成長します。

しかし、「かったるい」「しんどい」「めんどくさい」「やっても無駄」といった言葉はラブレターにはなりません。人に向けた言葉ではなく、怠けものの脳があなたに対して「動くのがイヤ!」と言っているだけです。こうした言葉に支配されている限り、ラブレターはおろか、言語化力をつけることすら「かったるい」作業で終わってしまうでしょう。「怠けた脳」の命令から早く抜け出せるように、感受性を高くして、相手に伝わる言葉を使えるようになってください。

さぁ、これで20日目の講義が終わりました。次回からは、あなたの言葉を魅力的にするための「表現力」について話していきましょう。

私もみなさんに素敵なラブレターが出せるように、がんばって講義を組み立てます。「しんどい」「めんどくさい」と思うかもしれませんが、最終日には必ず「思い」を「言葉」にする力がついています。あと少しです。ついてきてくださいね。

SUMMARY 20

あなたが発する言葉はすべて、相手へのラブレターである

coffee break

COLUMN 2

「よし！」と言って、パンと手を打つ

これは、私が習慣にしていることです。ダラダラしているとき。悪いことばかり考えているとき。止めなくてはいけないと思いながらも、ぬるま湯から抜けられない。そんなとき、「よし！」と、声を出して、パンと手を打ちます。

「よし！」とは、今までのことは、ここまでにして、この瞬間から変わろうとするかけ声。「よし！」と言えば、あとには、

「よし！　心配はここで終わり！」

「よし！　動こう！」

「よし！　仕事しよう！（休もう！）」

と、ポジティブな行動を起こす言葉がくるはず。「行動」の方向が「言語化」されるはずです。

拍手をするのは、パン！という音が、神様を招き寄せ、魂を動かすと神道では信じられているから。まぁ、信じなくてもいいですが、手軽に現状を一区切りできます。

決断したいときは、

「よし、こうなったら……」

と言ってみる。「こうなったら」のあとには、

「こうなったら、上司に報告しよう」

「こうなったら、自分の正直な気持ちを伝えよう」

「こうなったら、告白しよう」

などと、決断の言語化ができます。

「よし！」「よし、こうなったら……」というかけ声は、言語化してあなたの決断と行動を促す優れた誘い水なのです。

第3章

言語化力とは表現力
——相手が身を乗り出して聞きたくなるコツ

聞き手中心の物語をつくる

こんにちは。いよいよ本講座も終盤を迎えました。第3章は「言語化力とは表現力」をテーマに、あなたの話を聞いてくれる人に、理解、納得するだけでなく共感、感動を与える「表現力」を学んでいきましょう。

「表現力」が身につくと、言葉で人を感動させることができるようになります。「話がうまい」と思われるだけでなく、親しみやすく、信頼できる人になります。しっかり学びましょうね。

◎聞く人の気持ちを代弁してみよう

まず、以下の2つの文章を見てください。

1　今日は、御社にとって大切なプレゼンにお招きいただき、ありがとうございます。私は昨日から、気持ちが昂（たかぶ）って眠れませんでした。

2　今日は、御社にとって大切なプレゼンにお招きいただき、ありがとうございます。どんな企画が出てくるか、みなさまもドキドキ、ハラハラされていると思います。

プレゼンの冒頭でよく語られる内容です。みなさん、どちらの方が相手の共感を得られると思いますか。

はい、すぐにわかりますよね。2が正解です。理由はカンタンです。1は自分の話なのに対し、2は相手の話をしているから。正直なところ、話し手がどんな気持ちでいるかなんて、聞き手にとってはどうでもいいことですよね。それよりも自分に近い話をしてくれる方が嬉しい。自分に関わる話の方が嬉しいものです。

学生が、「おばさん構文」なるものを教えてくれました。年配の女性がSNSなどによく書いている文章です。

「電車の中で読んでいて、思わず吹き出してしまいました」「吹き出す」だけでなく「涙ぐんだり」もします。絵文字を多用し、世話焼き感がある。そして、何がなんでも自分の話にもっていこうとする。無意識のうちに「私中心」の文章展開をする。その学生は、これを「おばさん構文」と言っていました。

1の文章もこれに似て、話の中心は私、話し手です。これで聞き手と話し手がつながろうとするのは土台無理ですね。

常に聞き手中心の話し方をすることで、相手とつながっていく。

まずは、聞いてくれる人が感情移入できる表現を選ぶ。これを心がけましょう。

1　企画書を書いているうちにノッてきて、超大作になってしまいました。

2　この企画書、分厚すぎますよね。みなさんは読むのが億劫と感じられるかもし

れません。でも、一生懸命書きました。

これらの文章も、2がいいことはおわかりでしょう。聞き手が感じたことで話がつくられています。

言語化力の高い人の話は、多くの場合、聞く人主体の物語でできています。相手が「自分事化」できる話で表現する。話の中に、相手とつながる要素を必ず入れていく。「おばさん構文」のように、すぐに自分の感情や思いを語ると、空気を読めない人ととられる可能性も大きいのです。

◉相手に「自分事化」してもらいながら話を進める

しかし、話によっては相手がまったく知らない内容のケースもあります。そんなときは、どうすればよいのでしょうか。

ここで大事になるのが「物語の言語化力」です。昔話をするように、小説のワンシーンを読むように、相手をその世界に誘う力です。やってみましょう。

「タブレット端末が小学校に配布されて、教育現場がどう変わったか。それを知りたくて、愛媛県の小さな町に行きました。松山から2時間ほど。着いた小学校はお世辞にも綺麗とは言えない。みなさんの小学校時代の校舎が、改築もされない状態で使用されている。そんな感じです。タブレット端末で教育なんて、似合わない感じでしょ。『タブレット端末なんて使わないで、鉛筆とノートで勉強してほしいなぁ』なんて、ノスタルジックな気持ちになりますよね。私もそうでした。しかし、現実は違った。ものすごかった。小学3年生に『好きな本を教えて！』と言ったら、全員がタブレット端末を高く持ち上げて、モニター画面をこちらに向けました。町に書店もない。図書館もない。

学校図書館の本も少ない。こういう環境で学ぶ小学生は、どうやって勉強するのか。あなたなら、どうしますか。答えは、タブレット端末でした。東京よりも大阪よりも、タブレット端末で学ぶことが、田舎の小さな小学校で進んでいたのです。もう、タブレット端末がいい、悪いなんて言ってられません」

聞き手の頭の中に、映画のワンシーンのように情景が浮かぶように描写します（傍線の部分）。感情移入しやすいように、相手の小学校時代を思い出せるように語ります。そこにいきなり、タブレット端末で学ぶ今の子の姿を描いて、驚かせます。できる限り「物語の共有化」ができるように話していく。相手に「自分事化」してもらいながら話を進める。

これが「言語化力」を高める表現力です。自分の頭の中だけでなく、相手の頭の中にも同じ景色と感情が浮かぶように話して、「つながり」をつくっていく。

人は「自分と関係ある話が好き」ということを忘れないでくださいね。

SUMMARY 21

人は自分と関係ある話が好き。聞き手中心の話で、つながっていく

他者の視点で表現する

みなさん、こんにちは。「言語化力とは表現力」の2回目の講義を始めます。
前回は、「聞き手を中心にした物語」を考える。自分の思いを共有化できるように、同じ景色を思い浮かべてもらったり、幼い頃の体験が思い出される例文などを通して、表現方法を学びました。

今回は、「視点」についてお話しします。これはとても大切な話です。
まずはエピソードから話します。

◉視点が増えると表現の幅が広がる

学校でも企業でも、私は「お弁当」をテーマに作文を書いてもらいます。あるとき、若いお坊さんに向けた講義でも、「お弁当」をテーマに作文を書いてもらいました。

さすが、お坊さんです。常日頃、説法をされているだけのことはあって、みなさんとても上手でした。親がどれほどの思いを込めて、お弁当をつくってくれたのか。その気持ちがじーんと伝わる名文が並びました。

しかし、30人ほどの文章を読み終えて、気づくことがありました。

1人を除いて、全員が「親にお弁当をつくってもらったありがたさ」について書いているのです。子どもの自分が、親への感謝を語る。視点は、ひとつです。

違う文章を書いたのは、少し年上の方でした。彼は、子どものために自分がお弁当をつくる楽しさとつらさについて書いていました。年齢が上で、人生経験が豊富な分、「親につくってもらったお弁当」のほかに「子どもにつくったお弁当」という視点で書けたのです。

女性の多い講座では、視点はさらに多くなります。「親につくってもらったお弁当」「子どもにつくったお弁当」「子どもが初めてお弁当をつくってくれたとき」「お弁当を残されたときの悲しい気持ち」「家族の健康を願ってのお弁当づくり」など、人生の中で経験されてきたお弁当について、十人十色の物語が展開されます。

私は、お坊さんたちに、こう伝えました。

「どれほど心に染みる文章でも、自分の経験ひとつで書かれたものは、多くの人の心を打つことができません。どんなに見事な説法でも、聞いている人は、あなたよりも人生経験がある。様々なお弁当に出合っている。そこに思いを馳せることなく、自分の視点だけで描かれた文章は、線が細いのです。多くの人の心を摑む法話にはなりません」

◉他者の視点で考える力

表現力を高めるためには、数多くの視点をもつことです。

私の作文教室では、子どもたちに、「朝食の風景を家族の視点で描く」という課題

を出しています。

自分の視点で書くと、起きるのが面倒くさくて、「起きろ、起きろ」と騒ぐお母さんがウザい。朝は苦手で、食欲がないのに「食べろ」とうるさい。朝は大嫌いとなる。これが母親の視点だと、「仕事に行かなくちゃいけないのに、娘はなかなか起きてこない。せっかくご飯をつくったのに、食べようとしない。イライラする」となる。父親は「朝食くらい、ケンカせずに食べられないものか」と思っている……と同じ場面を様々な視点でとらえてみる。この練習をすると、子どもたちは、あっという間に「他人の視点」で考える力を身につけます。

この視点をもてるようになると、議論のときに自分の意見に反対する人の立場から考えることができるようになります。上司の立場から、得意先の立場から、ライバル社の視点から、ものごとを見られるようになります。視点を変える力をもつだけで、あなたは多くの人の言葉で語ることができるようになるのです。これが「他者の視点で表現すること」。重層的な言語化力が身につきます。

◉様々な意見を入れて語る

みなさんも、学生の頃に「小論文」というものを書いたことがありますよね。あの書き方にはコツがあるのです。それは「反対意見を盛り込むこと」なのです。

【立場の明確化】

「私は、すべてのビジネスをリモートで行うことに反対だ」と、まずは自分の立場を明確にしたあと、

【自分の立場と異なる意見にも理解を示す】

「確かに、リモートで仕事ができれば、子育てや介護など様々な課題を抱えた社員が効率よく仕事をすることができるし、無駄な通勤時間はかからない」

と「確かに」のあとに反対意見を入れる。言うなれば、「自分とは異なる視点」を入れます。これが入ると、「私は、反対する人の意見も十分に考えているんだよ」と

いうアピールになる。その上で、

【自分の立場の再度の明確化】

「しかし、人がじかに会い、話すことで、思わぬシナジー効果が生まれることも否めません」と自説を語る。

小論文のコツも、視点を数多く取り入れることです。

この小論文話法（「確かに」のあとに反論、別の視点を入れる話法）は、自分の意見を表現するときの鉄板スキルです。ぜひ、身につけてください。

SUMMARY 22

自分以外の視点を入れて語る表現で、言語化力がますます強くなる

講義23日目

相手に決定権を委ねない

みなさん、こんにちは。「言語化力とは表現力」の3回目の講義は、「他人に依存しない」ということ。ほかの人に甘えないという話をします。

みなさんは、自分が誰かと話している場面を録音したことがあるでしょうか。

私は、あります。聞くのがこれほどつらいことはありません。

「私って、こんなにいいかげんな話し方をしているの?」と、自己嫌悪に苛(さいな)まれます。

◉相手に寄りかかって話さない

中でもひどいのは、他人に甘えきった話し方をしていることなんです。

例えば、こんな感じです。

ひきた　「このままじゃ、まずいと思うんですよ。もう一回……」

相手　「企画を考え直した方がいいですよね」

と、前半は私が話しているのですが、後半の結論部分は、相手に話してもらっている。録音されたものを聞くまで、私は「このままじゃ、まずいと思って、もう一回企画を考え直そうとバシッと言ってやったんですよ」くらいの気持ちでいました。ところが、肝心なところは相手に依存しています。

相手が私のことをよく知っていて、私が話そうとすることをわかってくれているときは、この話し方でも成立します。

これは、子どもの頃に、

ひきた　「痛い……」

母　　「どこが痛いの？　お腹？」
ひきた「うん……」
母　　「いつから痛いの？」
ひきた「さっき……」

と母親に語っているようなもの。母がいて初めて内容が伝わります。

実は、このように相手に依存した話し方を、私たちは驚くほど頻繁にやっています。仲がいいほど、この傾向が強い。当たり前のことですが、あなたのことをよく知らない人や初対面の人にはまったく通用しません。

◎一文を言い切る力

言語化力としての表現力をつける。そのためには、人に依存せずに、一文をひとりで言い切ることが重要になります。

「さっきから、お腹が痛い」と、自分ひとりで語ること。特に私たちは結論にあたる

語尾を曖昧にして、お茶を濁す傾向があります。

「この仕事は、ぜひ、あなたに……」ではなく、「この仕事は、ぜひ、あなたにやってほしいんだ」と最後まで言い切る。相手の推測に期待しないで、語り切るようにしましょう。

◉阿吽の呼吸ではなく、最後まで意思を伝えよう

SNSがコミュニケーションの中心になって、私たちは、短文、スタンプなどで語る機会が圧倒的に増えました。元より日本人は、似たような環境、文化で育った人が多いので、言葉以外の表現に頼るコミュニケーション（＝高コンテキスト）が好きな国民です。「阿吽の呼吸」とか「察する」とか「空気を読む」とか、「みなまで言うな」（全部言わなくてもいい。すべて打ち明けなくていい）と、すべてを語らないことを好みます。家族や好きな人とのLINEなど、他人にはほとんどわからない。それが親密度が高い証拠ともいえます。

しかし、少し行き過ぎました。

高コンテキストで通じる人を「仲間」、通じない人を「他人」と識別し、仲良しとばかりコミュニケーションを行うことで、公の場で語ったり、知らない人と語ることが苦手になってしまった。短い言葉で語っているうちに、国語力そのものが低下したようにも思います。

しかし、世の中は仲良しだけのコミュニケーションでは回っていきません。他人と語り、世代の違う人の中に分け入り、これは！ と思う人に向かって、自分をアピールする必要がある。察することのできない人に伝わる表現を身につけること。これが言語化力にとって大切なことなのです。

今日から、一文を語る。最後まで言い切ることを心がけてください。

「すみません、ここですが……」

で終わらせず、「すみません、ここですが、間違いじゃないでしょうか」としっかりと言う。きついもの言いに聞こえますが、高コンテキストで通じない人には、これくらいはっきり言わないと伝わらないのです。伝わらない、中途半端な言葉の方が失礼にあたる。これも覚えておいてほしいことです。

SUMMARY 23

人に依存することなく、一文を自分ひとりで言い切る力をつける

すみません、
ここですが、
間違いじゃない
でしょうか

魂を揺さぶる言葉をもつ

みなさん、こんにちは。「言語化力とは表現力」の4回目の講義を行います。今日は「決め言葉」についてお話しします。

平和は、微笑みから始まります。（マザー・テレサ）

リーダーとは、「希望を配る人」のことだ。（ナポレオン・ボナパルト）

偉大な力には、偉大な責任が伴う。（ウィンストン・チャーチル）

どれもいい言葉ですね。真理をつき、人に「その通り！」と思わせる力があります。

あなたの言語化力も、「思い」を「言葉」にするだけでなく、できればその言葉が人

の心に深く刺さり、魂を揺さぶるものでありたいですね。さて、それではどのようにすれば、こうした「決め言葉」を言語化できるようになるのでしょう。

◉具体的な言葉から抽象的な言葉へ

決め言葉とは、多くの人の心に刺さる言葉です。となると、誰もが「確かにそうだよな」「言われてみれば、その通りだ」と思う必要があります。ここで、必要になるのは「具体」と「抽象」という概念です。わかりやすく話しますね。

犬を例にしましょうか。

1　飼い犬のポチは、かわいい。

2　犬は、かわいい。

違いがわかりますよね。1は、ポチという触ることのできる具体的な存在を「かわいい」と言っています。言い換えればポチにかぎった話です。

それに比べると、2の犬は、柴犬とかテリアとか、たくさんの犬に共通する性格として「かわいい」と言っています。犬全体にかかる性格であって、特定の犬を指すものではありません。

決め言葉をつくる場合は、抽象度の高い言葉を意識します。

「今回の納品ミスは、明らかに山崎がチェックを怠ったところに問題がある。しかしだ。**人間は、失敗やミスをする生き物なんだ。**明日は自分が大きなミスをする可能性があるものだ。山崎は、次からチェックを徹底するように。みんなも同じだ。緊張感をもっていこう」

山崎さんのミスという具体的な話から、「人間」を主語にした抽象的な話に途中で変わっています。こうすると、山崎さんだけでなく、あなたも私も、人間ならば誰でもミスをするという話になる。聞く人すべてに関わる話になります。

先に挙げたマザー・テレサたちの名言も「平和は」「リーダーとは」「偉大な力

には」と抽象度が高いことがわかりますよね。ひとりの人間や、特定の地域を指し示すのではなく、聞いた人誰もが「本当にそうだ」と思える間口の広さ、抽象度の高さがあるから多くの人の心に響くのです。抽象度を上げることで、自分事化が可能になるのです。

「ひきた先生の講義は、睡魔との戦い」

これは、具体的な話です。

「講義とは、睡魔との戦い」

となると、誰もが「確かに！」と思える抽象度の高い話になる。話の合間に「人間とは」「平和とは」「日本人とは」「リーダーとは」と抽象度の高い言葉を挟むことで、みんなの心に刺さる決め言葉になるわけです。

◎名句を集める。名言を覚える

しかし、何よりも歴史の中で人の心を揺さぶってきた名言、名句、箴言(しんげん)に触れることが一番でしょう。

私は、中学生の頃から、好きな言葉をノートに書き写していました。本を読むときに、いつもハガキ大の紙を栞として挟んでおく。いい文章に出合ったら、それを紙に書き写していきます。1冊読み終えると、ハガキ大の紙の裏表に引用した文が並びます。その中で特に気に入ったものを、ノートとしてはかなり高級な英国製のスマイソンに万年筆で書き写します。ノートの名前は「言葉の花束」。美しい言葉で花束をつくるイメージです。

高価なノートに丁寧に書くと緊張します。そこに書かれたものは何度も読み返すので、これくらいの儀式は必要だと思っています。10年、20年は平気で残して、何度も読み返すもの。そういう覚悟で、あなたなりの高級ノートにペンで好きな言葉を書き残してみてはいかがでしょうか。

また、本だけでなくネットの名言・名句も読むようにしてください。好きなものが見つかったら、「Google Keep」に保存していきましょう。この作業だけでも言語化力がかなり増すものです。

◉「言われてみれば、そうだよな」

コピーライター時代、先輩から、『みんな、そうだよな』『言われてみれば、そうだよな』と、日頃は気づかない共感に光をあてることがコピーライティング」だと教わりました。

具体例から抽象化するのも、時代を超えて残ってきた名文も「言われてみれば、そうだよな」という言葉を探す作業であり、その結果です。あなたの発した言葉に、多くの人が「なるほど、確かにそうだ。言われてみれば、その通りだ」と感心してくれる。これが、あなたの言語化力が紡ぎ出す究極の表現力への評価ではないでしょうか。

簡単に身につくものではありませんが、コツコツやれば必ず身につき、力になります。

SUMMARY 24

決め言葉は、抽象度の高い言葉を意識する。多くの名句を書き写す

「守りの決めゼリフ」を知ろう

みなさん、こんにちは。今日で、講義は「言語化力とは表現力」の5回目。早いものですね。

さて今日は、前回とは、真逆のことをお話しします。

前回の「決め言葉をもつ」は、多くの人の心を揺さぶる名句をつくる講義でした。言うなれば、人に迫る言葉をつくる技術です。今日は、逆です。人の心を打つことなく、拡散されないための技術です。

「そんなものが必要なのか？」とあなたは思うでしょう。必要なのです。そして今日お話しする「ブリッジング」という手法は、政治の世界でおそろしいほどよく使われ

ています。これも言語化力の表現のひとつですから、学んでおきましょう。

◉「意見を伺いながら、議論していく」

政治家のスピーチを聞いていると、「意見を伺いながら、議論していく」「個別の事案についてはお答えしかねる」「これまでの対応を客観的に検証し、検討を重ねる」などという言葉が多いと思いませんか。イライラしますよね。なぜ、わざわざ国民がイライラする言葉を使うのでしょうか。

前回が「攻めの決めゼリフ」だとしたら、これらは「守りの決めゼリフ」です。極力印象を抑えて、拡散されるのを防ぐために語られる言葉なんですね。

何か事件があって、様々な関係者に取材が殺到する。そのとき、みんなが私見で勝手なことを言ったら、事態の収拾が難しくなります。そこであらかじめ、「現在は、捜査が進んでいる段階なので、発言は差し控えよう」という「守りの決めゼリフ」を決めておきます。こうすることで、どこからも情報がもれなくなる。記事が書けなくなり、ニュースバリューがなくなるのです。

みなさんも実感されるでしょう。現在の事件やスキャンダルの多くは、軽い気持ちで仲間内に話したつもりの一言が、政局を不安定にさせるくらいの舌禍事件へと発展してしまうのです。誰もが「スマホ」という「録音機」を持っている時代です。「言っていない」と言ってもすぐに証拠を突きつけられてしまいます。

こういう世の中ですから、「攻めの決めゼリフ」だけでなく「守りの決めゼリフ」で耐え忍ぶことも必要なのです。

◎言葉のブリッジング

では、「守りの決めゼリフ」をどのように活用すればよいのでしょうか。

簡単にいえば、どんな質問が飛んできても、この「守りの決めゼリフ」に戻るという活用なのです。

質問者「すでに一部の週刊誌では、犯人は特定されたという記事が出ていますが……」

当事者「それは知りません。私が言えるのは、現在は捜査が進んでいる段階なので、発言は差し控えたいということです」

質問者「もし犯人がA副大臣だとしたら、政府はどのように対応されるのでしょうか」

当事者「仮定の質問にはお答えできません。今はまだ捜査が進んでいる段階なので、発言はできません」

「その通りです」「それは違います」「それは知りません」「以前はそうでした」「それは仮定の質問です」「それは難しい質問です」と質問をかわしながら、必ず「守りの決めゼリフ」に戻る。どんな質問であれ、「守りの決めゼリフ」に橋を架けて逃げこむので「ブリッジング」と言います。

◎守りに強い言語化力を養う

これはPR手法のひとつだったのですが、最近はまるで政治家や官僚の常套句のようになってしまいました。答弁のほとんどが「守りの決めゼリフ」になってしまうと、議論ができなくなってしまいます。これは大きな問題です。

しかし、先にも述べたように、今の世の中は、自分の言葉がどのように切り取られ、拡散されるかわからない時代です。プライベート空間だと思って書き込んだLINEの一言が、スクショされて世間に知れ渡る。そんなことが、あなたにも起きる可能性が大いにあるのです。自分を守るためにも「守りの決めゼリフ」を用いた「ブリッジング」という手法があることを覚えておいてください。

「そんな発言をしていたら、信用をなくすのではないか」

いい質問です。確かに、こんなことばかり言っていたら、人望がなくなるのは目に見えています。しかし、何はあっても今、この場で、この発言はできない、という場面に遭遇したときは、言質をとられないように耐え忍ぶしかありません。

私は、スピーチライターとして、何度もこうした原稿を書きました。「攻めの決めゼリフ」より「守りの決めゼリフ」の方が書いた分量は多いかもしれません。しかし、それが現実というものです。言葉をとりまく環境は、とてつもなく厳しいということも覚えておいてください。

SUMMARY 25

言いたくないことは、「守りの決めゼリフ」を使うブリッジング手法を活用する

「桃太郎」で物語る力を養う

みなさん、こんにちは。「言語化力とは表現力」の6回目の講義を始めます。今日は前回までとは趣（おもむき）を変えて、創作についてお話ししましょう。表現力を身につけることで、言語化力を高める。そのためには物語る力を養うことが有効です。

ストーリーテラーという言葉があります。聞く人、読む人をワクワクさせながら物語に巻き込んでいく人のことです。事実を述べるだけならば、今やＡＩの方が得意でしょう。「あの人の話は面白い」と言われる人は、ただ出来事を語るのではなく、ストーリーテラーとして人を魅了する力があります。

◉「桃太郎の紙芝居」をやってみる

以前、エリエス・ブック・コンサルティング代表の土井英司(えいじ)さんとWebで対談したとき、「桃太郎の紙芝居」を使って語る力を養う方法を教えてもらいました。早速、紙芝居を買って、学生に語ってもらいました。

すると「語る力にこれほど差があるのか！」と驚きました。

1枚1枚は丹念に語るけれど、紙をめくるたびに「次です」と言って話を切ってしまう学生。それではまったく話に連続性がありません。そうかと思えば、犬、キジ、サルや鬼の声色(こわいろ)まで替えて演劇のように語る学生がいました。

誰もが知っている話なのに、物語の理解力、語り方、演出によって、まったく違う作品に見えました。

みなさんも、桃太郎の紙芝居をやってみてください。すぐに自分の「物語る力」がバレます。できれば仲間とやって、「どこがよかったか、悪かったか」を話し合うようにしてください。表現力が磨かれます。

◎「桃太郎」を題材に新しい物語を考える

講義では、「新しい桃太郎」や「桃太郎の続編」を考えることにもチャレンジしてもらいました。

「続・桃太郎」はこんな話が出ました。

鬼ヶ島に行き、鬼を成敗した桃太郎。財宝を持ち帰って村に凱旋したのだが、誰も桃太郎たちに近寄らない。わずかの間に時代が変わり、桃太郎は「鬼ヶ島に不法に入り、鬼を斬り殺した悪人」というレッテルを貼られてしまった。ヒーローのように扱われると思っていた桃太郎に近づく者はいない。財宝も独り占めできず、村の貧しい人々に寄付させられたので、金もない。しかし、桃太郎を雇ってくれる企業もなく、桃太郎の就活は苦しいものになった。「どこか、私の力を認めてくれるところはないものか」と思案しながら歩いていた桃太郎の目に、人材募集の貼り紙が留まった。

「ならず者の凶漢と戦う用心棒求む。　勤務先・鬼ヶ島」

「新・桃太郎」はこんな話です。

鬼を殺しに行くという桃太郎。おばあさんは「そんな酷いことをしてはいけません」と止めるが、桃太郎は言うことを聞かない。おばあさんは仕方なく、平和の祈りを込めてきびだんごをつくった。「戦いになったら、これを桃太郎の口に放り込んでおくれ」と、おばあさんは、お供のキジ、サル、犬に頼む。

空を飛ぶキジは知っていた。鬼は人間を恫喝はするが、決して危害を加えようとはしない。殺そうとしているのは桃太郎の方だ。これは大変なことになる。いざ斬りかかろうとする桃太郎の口に、キジはきびだんごを放り込んだ。犬とサルは、鬼たちの口にも放り込んだ。

戦いは、そこで止まった。桃太郎は、鬼ヶ島では何一つ農作物が育たないことを鬼たちから聞いた。故郷に戻った桃太郎は、鬼たちに農作物の育つ土地を提供することを村人たちに提案。以後、鬼と人間は仲良く力を合わせて暮らした。

学生たちの多くは、「桃太郎」の話を快く思っていませんでした。ほとんどの学生が鬼の側に立ち、桃太郎の狼藉を止める側に回った文章を書き、発表しました。その語り、そのストーリー展開の巧みさに私も学生も驚きの連続でした。

◉続きだから、ラクに考えられる

さて、あなたの表現力を磨くための提案です。「桃太郎」でも「浦島太郎」でも構いません。よく知っている物語を、「自分ならこんなふうにアレンジする」と考えてみてください。一から考えるのではなく、よく知っている話ですから、ラクなはずです。固定観念を崩すように、物語をつくっていくことに快感を覚えるのではないでしょうか。

作家・太宰治は、『御伽草子』という小説で、「カチカチ山」「浦島太郎」を新しい話に仕立て直しました。

なぜ、乙姫さまが、浦島太郎に「玉手箱」を手渡したのか。「おじいさんになってしまう箱を手渡すなんて意地悪だ！」と思っていた私は、「年月は、人間の救いである。忘却は、人間の救いである」という太宰の言葉に驚きました。つまり乙姫さまは、「思い出」という尊いプレゼントを浦島さんに渡したというのが太宰治の解釈です。

創造的な物語を考え、相手に伝わるように語る。ストーリーテラーになる。言語化力を身につけたあなたの究極の姿だと私は思います。物語を語りましょう。

SUMMARY 26

「桃太郎」を語る力を養う。創作する喜びを知る

句読点を意識する
ラの音を出す。

こんにちは。「言語化力とは表現力」の7回目の講義です。前回、「桃太郎の紙芝居」で表現力を鍛える話をしました。これに関して、みなさんのひとりからこんな質問が来ました。

「早速、桃太郎を試してみました。スマホで自分が語っている姿を録画までしました。あまりの出来の悪さにショック。紙芝居のように語る以前に、私は声を出して語る基礎がまったくできていないことを知りました。どうすれば、声に出して語ることがうまくなれるでしょうか。コツがあったら教えてください」

いい質問ですね。いきなり「桃太郎を語る」と言っても、なかなかうまくいくものではないですよね。ありがとうございます。今日は、声を出して表現するという話をします。

◉第一声は、ドレミの「ラ」の音で

「ドレミの音名」をつくったのは、グイード（991〜1050年頃）だそうです。音と声について研究されている秋山眞人氏によれば、「ドレミの音名」は太陽崇拝のためにつくられたもので、元は「ドレミファソラ」までしかなかったそうです。「ラ」の音が一番高く、これは一年で一番力の強い夏至の太陽を示すとか。

実は私たちスピーチライターも、**スピーチをする人に、「第一声はドレミの『ラ』の音から始めてください」**と言っています。

スピーチをする前に、「ドレミファソラ、ドレミファソラ」と歌ってみる。「ラ」の音を出したところで、同じ音の高さで「おはようございます」「こんにちは！」と言ってみる。少し高めで、強くて、明るい声が出るはずです。

難しいことではありません。電話をかけるときは、知らず知らずのうちに高くて大きな声で話しますよね。あの要領です。リモート会議などのときも、実は電話と同じような声で話した方が、よく通るんです。まずは「ラ」の音で声を出すことを覚えてください。

◎朗読で、呼吸を知る

声の表現力をつける王道は、朗読です。人類の歴史で黙読の歴史はそんなに古いものではありません。昔はみな、文章を声に出していたのです。明治時代は、夏目漱石などの新聞連載小説を、夕食後にお父さんが子どもたちに読んで聞かせていたんです。

というわけで、文章を読んでみる。できれば抑揚(よくよう)をつけて、セリフの部分ではその人になりきって声に出してみましょう。

コツは、句読点(くとうてん)です。

文末に打たれる「。」を句点
文中に打たれる「、」を読点

というのはみなさん、ご存じでしょう。でも、その役割までは知らないのではないでしょうか。以下のルールを覚えてください。

「。」のところで、息を吸う。
「、」のところで、少し間を空ける。

中でも、「。」で息を吸うことが大切。やってみると作家によって文の長さが違い、息継ぎのタイミングに差があるのに気づきます。その違いを意識しながら、息を吸ったり、間を空けたりしながら、ゆっくりと読んでいく。これを続けていくと、普段の自分の声の出し方が改善されていきます。相手が聞きやすい話し方ができるようになります。

◎「あの〜」と言う前に一旦口を閉じる

多くの人が「あの〜」とか「え〜」と言ってしまうことに悩んでいます。話すことに不安があると口を開けて、「え〜」などと言ってしまう。これをフィラーと言うのですが、相手には不快感を与えてしまいます。

これに関しても直し方があります。まず前提として、「話は、口を閉じた状態から始める」ことです。口を閉じてから話を始めれば、「え〜」という言葉が漏れることは軽減されます。

私が子どもたちに教えているのは、話を始める前に、口を閉じてツバを飲み込むこと。ゴックンと飲み込んだあとに、「それでは……」と話し始める癖をつければ、フィラーはだんだんと減ってきます。ぜひ試してください。

◎録音して口癖を直す

最後は荒療治です。誰もがショックを受ける方法ですが、自分が話している姿を録音、録画してチェックするというものです。自分の声に誰もが違和感を感じ、早口、

滑舌（かつぜつ）の悪さ、無意識の口癖などに気づきます。自分のよくないところを直視する。これが、自分の話し方を直す最も近道なのです。

私も初めて講義する姿を自分で見たときは、ショックを受けました。

「誰だ！　この早口で猫背で、『ちょっと』ばかり言っているおっさんは！」

いや、それが私でした。それを直視し、悪いところをコツコツと直したおかげで、今はなんとか人前に立てています。

「思い」を「言葉」にする言語化力。最後は明瞭な声で的確に伝えたいものですね。やれば誰でも、よくなります。早速始めてください。

SUMMARY 27

コツコツと、話し方の癖を直していく

言語化は自分に素直に、相手に思いやりを

みなさん、こんにちは。「言語化力とは表現力」の8回目の講義です。今日は、困ったときの言語化力についてお話しします。

私は、就活のときにテレビ局を受けました。最終面接になったところで、今では考えられないような圧迫面接を受けました。私は学生時代、純文学系雑誌の編集の仕事をやっていました。そこを突かれたんですね。

「そんなに文学が好きなら、三島由紀夫の『金閣寺』の冒頭を答えなさい」

いきなりです。『金閣寺』はかろうじて読んでいましたが、私は三島嫌いだったものですから、当然覚えていない。それよりこんな質問を、不機嫌そうな声で言われたことにパニック状態になりました。頭の中が真っ白になりました。仕方がないので、

「わかりません。勉強不足ですみません。これからはパッと言えるようにします」と頭を下げました。すると「チッ」と舌打ちする音が聞こえたのです。「落ちた」と思いました。

ところが、内定の通知をいただきました。内定者のパーティがあって、そのときの面接官もいたので「ああいうときは、どう答えるのですか」と尋ねてみました。

「あぁ、あれはね。知らないことを素直に認められるかを見ているんだよ。謝る度胸があるか。そして、『これからはどうするか』まで言えるか。ひきた君は、合格だよ。『金閣寺』の冒頭を知らなくても」

と言われたのです。

これは学びになりました。人間ですから、当然知らないことはたくさんあります。そのときに大事な姿勢は、知ったかぶりをしないことです。

「それにお答えするにはきちんとした知識が必要だと思いますが、私にはその知識がありません。よく調べてからお答えします」

「少し考えさせていただいてもよろしいでしょうか」

知らないことを聞かれた場合、「思い」を「言葉」にする力はありません。言語化力を発揮できません。

こんなときは、素直であることが一番です。

「チッ」という舌打ちも、私のストレス耐性を見るための演技でした。こういうことがわかると、入社して、得意先から手厳しい質問を受けても「素直に返答すればいい」と思えます。嫌な態度を示されても、「この人も仕事でやっているんだろうな」「もしかしたら、こういう性格なのかもしれないな。不憫な人だな」と冷静に観察することができるようになります。

怖い人に難しいことを言われたとき、知ったかぶりは厳禁です。言語化力を用いて

「素直な思い」を「素直な言葉」で、勇気をもって語れば大抵のことはうまくいきます。

◎得意な話ほど言葉少なめに

面接の話になったので、もう少し面接という場面を通して「言語化力」について語ります。

今度は、先ほどとは別のケースです。相手の質問が、自分の得意分野だったときはどうするか。例えば、あなたが体育会の野球部で、相手が「学生時代に一番力を入れてきたこと」と質問してきたとします。

「来た！　ビンゴ！」とあなたは心の中で叫ぶでしょう。これならいくらでも話せます。頭の中は「野球部への思い」でいっぱいです。それを語る「言葉」も山ほどもっています。あなたは面接官に向かって情熱的に、野球部時代の話をすることでしょう。

ところが、相手はあなたの野球部における活躍を聞いているわけではありません。

何かに打ち込んでいる人は、知識や経験が豊富で、相手を置いてきぼりにしても気づかない。独壇場で話してしまうことが多いのです。そう、「相手思いの言語化力」が欠如しがちなのです。

こういう人は、就活生だけでなく、働く人に多く見られます。豊富なマーケティング知識のある人が、相手がわかっているかなど考えず、ひたすら専門用語でまくしたてる。「ついてこられないお前らの方がバカだ」と思っているフシさえ見える。

研究開発者が専門用語を駆使し、難しい議論を続ける。相手にわかりやすく話すことなど考えもしない。

これらはすべて、「思い」はあっても「相手思いの言語化力」がないということになりますね。

◉言語化力は、相対的なもの

「言語化力」は個人の能力だけでは片付けられません。相手の性格、能力、価値観、現状がある。語る環境によっても違う。あなた自身の体調や抱えている問題にも大きく左右されます。言語化力は絶対的なものではなく、人や環境に左右される相対的な

もの。それだけに相手に対する身構えをしっかりつくっておきましょう。驕（おご）らないように、浮かれないように、飄々（ひょうひょう）とまいりましょう。

SUMMARY 28

言語化力は相対的なもの。相手によって怯えないこと。浮かれないこと

「ビートメイキングな文章」を書く

みなさん、こんにちは。「言語化力とは表現力」の9回目の講義です。

今日は、話し言葉ではなく、書き言葉についてお話しします。それも最近の傾向のお話です。

今、若い子の間で、短歌が見直されています。といっても、みんなが短歌をつくっているわけではありません。リズムのある短い文章に憧れる子が増えているのです。俵万智(たわらまち)さんが『サラダ記念日』(河出書房新社)を書いたのは37年前。そして、今でも彼女のみずみずしい感性に影響を受ける子がいます。

背景には、あまりに動画、スタンプ、絵文字などが日常に入りすぎてしまったおかげで、自分の思いが伝わらなくなっていると感じている人が増えたことがあります。堅苦しくなく、センスよく、相手に伝わる短い文章を書きたい。そんな欲求が強くなっています。

◉ビートメイキングな文章

そこで私は、短歌よりももう少しハードルを下げて、リズム感のある文章を書く練習をさせています。これを「ビートメイキングな文章」と呼んでいます。例を挙げましょう。

「富士山だ
頂に真っ白な雪をかぶった
富士山だ」

というように「富士山」という言葉を重ねて文章にリズムを与えると、雪をかぶった富士山を見た感動が伝わりやすくなります。

これを教えたあと、学生から、講義への遅刻を知らせるメールが入りました。

「遅刻だ　遅刻だ
服選び　メイク　ヘアセット
遅刻だ　遅刻だ」

そんなことしてないで、早く来いよ、と言いたくもなりますが、寝坊して、焦っている感じは非常によく伝わります。

「ねぇ、今日もかわいい？
と聞く君が
今日もかわいい」

「デートか、
財布には万札のふりをしたレシートたち
デートか……」

そんな言葉が並びます。

◉二極化する日本語

何度も語ってきたように、「ヤバい」「ウザい」という大雑把な言葉で、自分の思いを語ることを怠ける人たちが大勢います。その反動として、現状のネット全盛の世の中で、どのようにして「言葉」で自分の思いを伝えるのか。それに目覚めつつある若い世代もいるのです。私は、この世代が新しく、人々の心に響く日本語をつくっていってくれるのではないかと期待しています。

◉言葉は、リズムだ

キング牧師の有名な演説です。

「私には夢がある。それは、いつの日か、この国が立ち上がり、『すべての人間は平等につくられているということは、自明の真実であると考える』というこの国の信条を、真の意味で実現させるという夢である。
私には夢がある。それは、いつの日か、ジョージア州の赤土の丘で、かつての奴隷の息子たちとかつての奴隷所有者の息子たちが、兄弟として同じテーブルにつくという夢である」

これ以降も「私には夢がある」という言葉で、詩のような美しい言葉が語られていきます。人の心にまで響く言葉は、音楽性を帯びている。そこには、多くの人を魅了するリズムがあります。人にトキメキを与えるビートがあります。
ぜひ、あなたの書くもの、語るものも、リズムにしてほしいのです。

学校ではよく「同じ言葉は繰り返さない方がよい」と教えます。しかし、大切な言葉は、何度も繰り返した方が印象に残ります。また、「同じ語尾だと単調になる」と教えられました。しかし、相手の心を摑むには、同じ語尾で畳み掛けた方がいい場合もあるのです。言葉は、リズムです。リズム感のない言葉は、誰の頭の中にも残りません。

◎違う世代の音楽を聴く。歌詞を読む

ひとつの練習法として、今の10代、20代が聴いている音楽を聴くとよいでしょう。音楽は、自分の世代が聴いてきたものが一番聴きやすい。しかしそれだと、耳が保守的になります。今の子たちのリズムの刻み方、言葉の選び方を味わってください。

私は学生に彼らの「モチベーションソング」を教えてもらって、ずっと聴いています。感性や言語感覚の違いに驚きます。しかしこれが、とても刺激的な言葉の勉強になっています。

SUMMARY 29

言葉は、リズム。10代、20代のリズム感を味わおう

講義30日目

言語化で部下との会話を円滑に

みなさん、こんにちは。「言語化力とは表現力」の10回目の講義です。今日は部下とのコミュニケーションにおいて、言語化力を具体的に使う方法を学んでいきましょう。

「ひきた先生、いつも有益なお話をありがとうございます。先生に学んだことは、すぐに実践するよう心がけています。その中で、どうにもうまくいかないことがあります。部下への声かけです。どうすれば部下を励ましたり、モチベーションを上げたりできるのか。実は私自身が褒められるのが苦手で、『なに、心にもないことを言ってるんだよ！』と思ってしまいます。そのせいか、部下に対する思いを、うまく言葉にできせません。どうすればいいか教えてください」

◉習慣になっていることを褒める

ありがとうございます。いい質問ですね。人に褒められたり、励まされた経験が少ない人、その手の言葉を信じてこられなかった人は、相手のモチベーションを上げるような言葉をなかなか言語化できないものです。

ここで私の子どもの頃の話をします。

小学3年生のときでした。転校してきたばかりの私は、友人もなく、ひとりで過ごしていました。野球が盛んな学校だったのですが、私は野球の経験がほとんどない。エラーや三振ばかりで、みんなの目が怖かった。自信のない日々を過ごしていました。

そんなある日、担任の先生が、こう言ったのです。

「ひきた君が黒板を消したあとは、とてもきれいで気持ちがいいです。どうやって消すのかな？」

びっくりしました。前の学校の先生が几帳面で、黒板のきれいな消し方をみっちり仕込んでくれていたのです。私は、「丸く消すのではなく、直線で消していく」と前の学校の先生に教わったことを言いました。次の日の日直から、私の教えた通りに黒板を消すようになりました。同時に「ほんとにきれいになる！」と話しかけてくれる子が増えたんです。こんな小さなことで自信がつきました。

さて、この先生の言葉はどこがすごかったのか。それは、

その人が、当たり前のようにやっている習慣を褒めた。

ここなんです。これが相手の印象に残る褒め方なんですね。

成績や結果を褒めることも大切です。しかし、聞いた瞬間、相手が「え？　こんなの当たり前じゃないの？」というポイントを丁寧に見つけて褒める。

「いつもメールの文章がわかりやすいよ」

「資料のホチキスがきれいにそろっていて気持ちいいね」
「あなたがいてくれると、場がなごむよ」
「君の発言には、いつも目を覚まされる思いがする」

相手が意識していないことにスポットを当てて褒める。

「知らなかったけれど、私にはそういういいところがあるのか」

と相手が思うところ。習慣や日頃の行いを褒める。これを嫌がる人はいません。その上、私の「黒板消し」のように、自信と活力の源となります。質問をくれた方には、ぜひ部下が当たり前にやっていることの中で秀でているものを見つけて、それを言語化してください。モチベーションが上がると思いますよ。

◉「気がかりなことある？」

部下とのコミュニケーションにおいて、もうひとつ役立つ言葉を教えます。

「なにか、気がかりなことある?」

です。「なにか、問題ある?」「なにか、わからないことある?」と言うと、相手は身構えます。「問題」「わからない」という言葉は、すぐに自分の仕事ぶりに対する評価につながるからですね。それに比べると「気がかり」はラクです。「気がかり」とは、何か悪いことが起きないかとモヤっていること。些末(さまつ)なことでも発言しやすいのです。

「気がかりねぇ。そういえば、最近、子どもがよく風邪をひいて……」

などと、仕事と関係ないことも話しやすい。「気がかりなことある?」という言葉で、相手が抱えている思いを、負荷をかけずに言語化させてあげるのです。

「気がかりなことある?」と言って、相手に言語化を促す。こんなところから部下とのコミュニケーションを始めてはいかがでしょうか。丁寧に眺めれば、部下にはいいところがいっぱいあるはずです。

SUMMARY 30

習慣になっているよいところを褒める。「気がかりなことある?」と問いかける

講義31日目

人のよい面を言葉にする

みなさん、こんにちは。いよいよ第3章も大詰めです。ここまでついてきてくれて、ありがとう。みなさんの真剣な眼差しが、ノートに書き込む姿が、どれほど私を支えてくれたことか。私もみなさんから、大いに学ばせていただきました。

最後に私がみなさんに申し上げたいのは、

「人を尊敬する」

ということです。対話は、相手のいるものです。相手を説得しよう、共感を得ようと、いろいろな思惑が湧いてくるものでしょう。ビジネスの世界ですからいろいろな状況があるのはわかります。しかし、相手をバカにすることだけは慎んでください。

YouTubeを見ていますと、「こいつらはバカだ」「頭の悪い人」などと口にする人がいます。これを見た学生や若いビジネスパーソンが真似をしている姿を何度も見てきました。しかしあれは、モニターの向こう側にいる有名人が、不特定多数の人たちに溜飲(りゅういん)を下げさせるために吐いている言葉です。リアルな世界にいるあなた方が、あんな言葉遣いをすれば、周囲とうまくいかなくなるのは目に見えています。

◉大谷翔平のリスペクト術

2023年、WBCで日米が優勝を争ったとき、ロッカールームで大谷翔平がチームメイトに語った言葉が、世界を駆けめぐりました。絶賛されました。

「憧れるのは、やめましょう」という言葉です。

「憧れてしまっては超えられないので、僕らは今日超えるために、トップになるために来たので」

あくまでも強いのは、アメリカチームです。アメリカに憧れ、その上で超えようとする。そこに気持ちを奮い立たせるものがあるのです。これが、「僕たちが、一番だ。メジャーリーガーに臆することはない」という言葉だったら、どうでしょう。自らを鼓舞することはできるが、現実を見ていない。精神論に聞こえますね。

相手を尊敬し、憧れているから、挑む力が生まれる。

大谷翔平が世界に示した、謙虚にして恐ろしくプライドの高い言葉でした。

◉相手のよいところを見よう

これは私の持論です。人間は、動物です。初対面のときは誰でも、相手を「敵」と見ます。食うか食われるかの動物なら当然のことです。

しかし、相手を「敵」と見て、怖がったり、嫌な部分を見つけているだけでは動物のままです。そこから、相手のよい部分を発見し「言語化」していく。

「怖そうだけど、ネクタイの趣味は結構いいぞ」

「意地悪そうだけど、靴はピカピカに磨いてある」

こんなふうに相手のよいところを見つけ、それを「言語化」することで、相手への苦手意識がなくなっていくのです。

◉「～だけど、いい人」と相手を評価する

人をポジティブに見るのは、慣れていないと難しいものです。私たちの中には長く「中二病」をひきずったり、「天邪鬼(あまのじゃく)な私」を「他の人とは違った視点をもっている」とか「頭がよさそう」と思い込んでいる人がたくさんいます。こういう人は、人を褒められない。「本心ではない」と言ったり、「そこまで媚(こ)びたくない」と言って拒絶する。

しかし、こうした考えのせいで、「こじれた奴」「こむずかしい奴」ととられて敬遠されることも少なくありません。

そんな人でも、人を褒めるコツがあります。

「鈴木さんは、すごく怖いけど、やさしい一面があるよね」

「岩井くんは、仕事が雑だけど、憎めないところがあるよね」

ネガティブな面のあとに、必ずポジティブな面をつけて語る。これを癖にするだけで、人に対する目線が変わります。褒めることがラクになります。

仏教に「和顔愛語（わげんあいご）」という言葉があります。穏やかな笑顔とやさしい言葉。殺伐とした社会を生き抜くコミュニケーションとしては最も大切なことでしょう。どうかみなさんの「言語化力」が「和顔愛語」で世間に浸透していきますように。それを心から願います。

SUMMARY 31

人を尊敬する。人を称賛する。
その上で言語化力を鍛えていこう

まとめ（補講）

誰かのために言葉の力を養う

みなさん、こんにちは。今日の補講で、私の講義はすべて終了です。今の気持ちを言語化すると、「達成感と寂しい気持ち」が入り乱れています。自分を褒めてやりたい気持ちと、「みなさんに本当に伝わっただろうか」という不安が入り交じっています。今更ながらに「言語化」の難しさを感じています。

最後に、私の「言語化」に対する思いを、もう一度、まとめて語らせていただきます。しつこいかもしれませんが、聞いてください。

◉相手思いの言語化

この講義が始まった当初、「言語化」とは、雑念のように脳みそに浮かんでいるイメージ、考え、思い、アイデア、感情を的確な言葉に変えて口に出すこと。そして、その言葉が相手に正確に「伝わる」ことだと言いました。そして、講義の10日目までは、「思い」を「言葉」にする基礎として、主にひとりでできるワークを教えてきました。

多くの「言語化」に関するセミナー、動画、本は、ここが中心です。しかし、私は、第2章で述べたように、「相手」に自分の「思い」を的確な「言葉」で「伝える」ことができて初めて「言語化」が達成できたと考えます。

なぜなら、私たちをとりまく言語活動は、常に人間関係の中にあります。様々な人に自分の意志や感情を伝え、それを成就させるのが言葉の力です。もちろん、そのためにノートに書いたり、モノの名称を思い出したりして能力を高めることは大事。しかし、それがどんなに上達しても、人前で表現できなければ意味がないのではないでしょうか。私にとっての「言語化」とは、常に「相手思い」のものなのです。

◉誰かのために～しよう

「相手を思う」ということで、私の経験をお話しします。大学時代、家庭教師や塾講師をやりました。そのとき、自分がどんどん頭がよくなっていく感じがしました。受験勉強をしているときよりも確実に物覚えが早くなり、明確に答えを出すことができるようになったのです。なぜだか、わかりますか。それは、

「生徒のために、わかりやすく説明しよう」

としたからです。自分が「わかる」のではなく、生徒に「わかってもらう」。こう考えたとき、「どう言えば、もっとわかりやすくなるだろう」「どう伝えれば、記憶に残るだろう」と、ありとあらゆる工夫をする自分がいました。自分のときはさほどがんばれなかったのに、誰かのためならがんばれたのです。不思議ですよね。

これには、こんなからくりがあるそうです。私たちの脳は、相手に向けた思いを、自分に返して、自分を見るのだそうです。わかりやすく言えば、生徒に向けて「ここが大切なポイントだぞ」と教えることで、自分の脳にも「ここが大切なポイントだ」

と伝わってくるそうです。壁打ちテニスみたいですね。打ったボールが跳ね返ってくるわけです。

「言語化力」を鍛えるのも同じです。相手に向けて、「こういう思いを伝えたい」と思って言葉にする。その言葉が、相手を通して、自分に戻ってきます。その言葉が通じたのか、通じなかったのかは、相手の表情を見れば一目瞭然（いちもくりょうぜん）。通じなければ、「今度はこう言ってみよう」と工夫が生まれるものです。

自分のためでなく、誰かのために何かをする。

これが「言語化」――いや、人間の能力を鍛える上で最も大切なことではないでしょうか。

◉人のために動こう

これが最後のメッセージです。

自分の「思い」を「言葉」にする言語化力を鍛えるには、人のために動きましょう。

あの人のために、この話をわかりやすく伝えるには、どう言えばいいか。仕事がいやになった部下のために、働く楽しさを伝えるなら、どうすればいいか。広く世の中のために、このメッセージを伝えるには、どう言えば拡散するか。

誰かのために、と考えると、言葉の方向性が定まります。何が的確な言葉か、見えてきます。伝わったときの喜びは格別です。そして、人のために動けば動くほど、自分に返ってくるものなのです。ベタなもの言いになりますが、人のことを考えることが、自分のことを考えることにつながります。それが「言語化力」を高める奥義だと心得てください。

私の講義は、これで終了です。

短い間でしたが、ここで共有した時間が、一生の財産になることを願ってやみません。と言っても、今生のお別れってわけではないからね。気が向いたら、いつでもこの講座を訪ねてきてください。些細な悩み相談でも構いません。お互いの「言語化力」を使って会話を楽しみましょう。

それでは、お元気で。またお会いできる日を楽しみにしています。

さようなら！

coffee break

COLUMN 3

もはや使えない言葉

私は、病院に行くとつい「看護婦さん」と言ってしまいます。これ、今は「看護師」と呼ぶんですよね。「看護士」という言葉もあったけれど、これは女性を「看護婦」と呼んだときに男性を「看護士」と呼んでいたんです。今は、男女いずれも「看護師」で統一されています。

時代とともに、言葉は変化していきます。それを知らないと、古い人間、言葉に鈍感な人間というイメージを人に与えてしまいます。

看護師の他にも、

- 女性警察官（旧 婦人警官）
- フォトグラファー(旧 カメラマン)
- 補佐役（旧 女房役）
- 外国人（旧 外人）
- 第一作（旧 処女作）
- 授かり婚（旧 できちゃった婚）
- うすだいだい・ペールオレンジ（旧 肌色）
- 不登校（旧 登校拒否）
- 郵便ハガキ（旧 官製ハガキ）
- 終戦の日（旧 終戦記念日）
- 感染症（旧 伝染病）
- メジャーリーグ（旧 大リーグ）
- ビュッフェ（旧 バイキング）

など、呼び方は変化してきています。常に現代の言い方かどうかをチェックするようにしてください。

おわりに

２０１９年に『博報堂スピーチライターが教える　５日間で言葉が「思いつかない」「まとまらない」「伝わらない」がなくなる本』（大和出版）を上梓。おかげさまで好評を博し、今なお多くの学生や若いビジネスパーソンに読まれています。中でも、頭の中のモヤモヤを表す的確な言葉を思いつかなかったり、頭の中が真っ白になってしまって一言も出なくなることへの対処法、つまりは「言語化する力」について書いた部分の評価が高く、以来、日本全国の様々な会社、団体、学校から講義のご依頼をいただいています。

本書は、こうした私の講義をライブ感覚で味わっていただくために書き下ろしたものです。大阪芸術大学、明治大学などの学生向けはもちろん、慶應ＭＣＣ（丸の内シティキャンパス）やＮＨＫ文化センター京都教室などでの講義を混ぜ合わせ、「思い」を「言葉」にするのが苦手な方に、まるで私の講義を聞いているかのような感覚で読んでほしいと考えました。

講義ですから、話が脱線したり、前後することもあります。私の失敗談や、これまで私に「言葉を強くする方法」を教えてくれた諸先輩たちのエピソードもふんだんに入っています。あえて、こうした個人的な話題を入れたのは、

人は、人から学ぶのが、最も早く、深く理解する方法だ。

という信念が私にあるからです。もちろん、本や動画からも学ぶことはできます。しかし、悲しいかな、「言葉」は「生き物」なのです。生きて、呼吸をし、身体を通して紡がれた言葉——言うなれば、肉体をもった言葉に接することで、知識だけでなく、価値観や生き方までもを学ぶことができるのです。

この本は、単なるノウハウ本ではなく、あなたの「生き方」によい影響を与えることができたら嬉しい——そんな気持ちで書き進めました。

おわりに

執筆に当たっては、ＰＨＰ研究所の木南勇二さんに大変お世話になりました。私のとるに足りない話を何時間にもわたりインタビューし、そこから私が日頃考えている「言語化」に関する思いをまとめてくれました。私は、自分の語った内容を活字で客観的に読むことによって、本の核心に当たる部分を見つけることができたのです。

それは、

言語化力は、一人で磨くものではなく、相手に「伝えたい」という気持ちの中で磨かれていくものである。

というものです。

「話す」のではなく、「聞いてもらう」――この思いこそが「思い」を「言葉」にする原動力になると、私自身が考えていることを、活字化された自分の言葉を眺めて初めて気がついたのです。これにハッと気づいてからは、早かった。まるで昭和の企業戦士のように徹夜につぐ徹夜で一気に書き上げました。実に楽しく、充実した時間でした。

その他、大阪芸術大学の学生のみなさんにも、様々なアドバイスをいただきました。本書に紹介した質問や事例には、学生たちの言葉をアレンジしたものが多く含まれています。おかげで、今の若い世代の息づかいを入れることができました。みんな、ありがとう。

最後に、今年92歳になる母へ。今でも私の書くものをすべて読み、「今度のは面白かった」「こういうものを書きなさい」と言ってくれる。こうしたアドバイスがどれだけ私の励みになっているか、計り知れないものがあります。

高齢になってなお、「あれ、それ」と言わず、モノの名称を正確に言い、自分の思いを手紙に認めてくれる母こそが、私の「言語化力」のお手本です。

この本を読んでくださったみなさまにも、声を大にして言いたい。

年齢は、関係ありません。そこに「伝えたい人」がいれば、言語化力は留まることを知らずについてきます。

これからも私は、若い世代のために、母のために、あなたのために、「思い」を「言葉」にしていきます。

ありがとうございました。また、どこかの講義でお会いしましょう。

ひきたよしあき

● 装丁・イラスト　齋藤 稔（G-RAM）

■著者略歴

ひきたよしあき

コミュニケーション コンサルタント。スピーチライター。大阪芸術大学芸術学部放送学科 客員教授

早稲田大学法学部卒業。博報堂に入社後、クリエイティブディレクターとして数々のCMを手がける。政治、行政、大手企業などのスピーチライターとしても活動し、幅広い業種・世代の価値観、世代間のギャップ、言葉遣いの違いなどを分析し、コミュニケーション能力が高まる方法を伝授する。また、大阪芸術大学、明治大学、慶應MCCなどで教え、「はじめて『わかった!』と心の底から思えた講義」「一生ものの考える力が身につく」と学生や社会人から支持を集める。

教育WEB「Schoo」では毎回事前予約が約20,000人、朝日学生新聞社「みんなをつなぐ新聞WEB」では、毎回1,200人近い子どもと保護者が参加するほどの人気を博す。

著書に『5日間で言葉が「思いつかない」「まとまらない」「伝わらない」がなくなる本』(大和出版)、『大勢の中のあなたへ』(朝日学生新聞社)、『トイレでハッピーになる366の言葉』(主婦の友社)など。

人気スピーチライターが教える
モヤモヤを言葉に変える「言語化」講座

2024年1月29日　第1版第1刷発行

著　者　ひきたよしあき
発行者　永田貴之
発行所　株式会社PHP研究所
東京本部　〒135-8137　江東区豊洲5-6-52
ビジネス・教養出版部　☎03-3520-9615(編集)
普及部　☎03-3520-9630(販売)
京都本部　〒601-8411　京都市南区西九条北ノ内町11
PHP INTERFACE　https://www.php.co.jp/

本文デザイン・組版　齋藤稔(株式会社ジーラム)
印刷所　大日本印刷株式会社
製本所　株式会社大進堂

ISBN978-4-569-85651-3

PHPの本

藤井聡太は、こう考える

杉本昌隆 著

集中力、決断力、構想力、読む力……天才はいかにして考え、神の一手を導き出しているのかを、藤井聡太の師匠が明らかにする一冊。

定価 本体一、五〇〇円（税別）

PHPの本

激変する世界の変化を読み解く

教養としての地理

山岡信幸 著

資源、エネルギー、貿易、産業、交通……20年前と比較して世界の地理は劇的に変化した。豊富な図版で地理から時代の流れを読み解く。

定価 本体一、六三〇円（税別）

PHPの本

激変する地球の未来を読み解く

教養としての地学

蜷川雅晴 著

天気、海洋、自然災害……身近な疑問から「気候変動」など地球のさまざまな事象の変化を図版とともに解説する。読めばためになる一冊。

定価 本体一、七五〇円（税別）